Coleção Literatura Brasileira

TOMÁS ANTÔNIO GONZAGA

  1. MARÍLIA DE DIRCEU

MACHADO DE ASSIS

  1. RESSURREIÇÃO ◆ 2. A MÃO E A LUVA ◆ 3. HELENA ◆ 4. IAIÁ GARCIA ◆ 5. MEMÓRIAS PÓSTUMAS DE BRÁS CUBAS ◆ 6. QUINCAS BORBA ◆ 7. DOM CASMURRO ◆ 8. ESAÚ E JACÓ ◆ 9. MEMORIAL DE AIRES ◆ 10. CONTOS FLUMINENSES ◆ 11. HISTÓRIAS DA MEIA NOITE ◆ 12. PAPÉIS AVULSOS ◆ 13. HISTÓRIAS SEM DATA ◆ 14. VÁRIAS HISTÓRIAS ◆ 15. PÁGINAS RECOLHIDAS ◆ 16. RELÍQUIAS DE CASA VELHA ◆ 17. CASA VELHA ◆ 18. POESIA COMPLETA ◆ 19. TEATRO.

LIMA BARRETO

  1. RECORDAÇÕES DO ESCRIVÃO ISAÍAS CAMINHA ◆ 2. TRISTE FIM DE POLICARPO QUARESMA ◆ 3. NUMA E A NINFA ◆ 4. VIDA E MORTE DE M. J. GONZAGA DE SÁ ◆ 5. CLARA DOS ANJOS ◆ 6. HISTÓRIAS E SONHOS ◆ 7. CONTOS REUNIDOS.

JOSÉ DE ALENCAR

  1. CINCO MINUTOS (1856) ◆ 2. O GUARANI (1857) ◆ 3. A VIUVINHA (1860) ◆ 4. LUCÍOLA (1860) ◆ 5. IRACEMA (1854) ◆ 6. ALFARRÁBIOS ◆ 7. UBIRAJARA (1874) ◆ 8. SENHORA (1875) ◆ 9. ENCARNAÇÃO (1893).

MANUEL ANTÔNIO DE ALMEIDA

  1. MEMÓRIAS DE UM SARGENTO DE MILÍCIAS

EDUARDO FRIEIRO

  1. O CLUBE DOS GRAFÔMANOS ◆ 2. O MAMELUCO BOAVENTURA ◆ 3. BASILEU ◆ 4. O BRASILEIRO NÃO É TRISTE ◆ 5. A ILUSÃO LITERÁRIA ◆ 6. O CABO DAS TORMENTAS ◆ 7. LETRAS MINEIRAS ◆ 8. COMO ERA GONZAGA? ◆ 9. OS LIVROS NOSSOS AMIGOS ◆ 10. PÁGINAS DE CRÍTICA ◆ 11 O DIABO NA LIVRARIA DO CÔNEGO ◆ 12. O ALEGRE ARCIPRESTES ◆ 13. O ROMANCISTA AVELINO FÓSCOLO ◆ 14. FEIJÃO, ANGU E COUVE ◆ 15. TORRE DE PAPEL ◆ 16. O ELMO DE MAMBRINO ◆ 17. NOVO DIÁRIO.

BERNARDO GUIMARÃES

  1. A MINA MISTERIOSA ◆ 2. A INSURREIÇÃO ◆ 3. O BANDIDO DO RIO DAS MORTES ◆ 4. A ESCRAVA ISAURA.

MÁRIO DE ANDRADE

  1. OBRA IMATURA ◆ 2. POESIAS COMPLETAS ◆ 3. AMAR, VERBO INTRANSITIVO ◆ 4. MACUNAÍMA ◆ 5. OS CONTOS DE BELAZARTE ◆ 6. ENSAIO SOBRE A MÚSICA BRASILEIRA ◆ 7. MÚSICA, DOCE MÚSICA ◆ 8. PEQUENA HISTÓRIA DA MÚSICA ◆ 9. NAMOROS COM A MEDICINA ◆ 10. ASPECTOS DA LITERATURA BRASILEIRA ◆ 11. ASPECTOS DA MÚSICA BRASILEIRA ◆ 12. ASPECTOS DAS ARTES PLÁSTICAS NO BRASIL ◆ 13. MÚSICA DE FEITIÇARIA NO BRASIL ◆ 14. O BAILE DAS QUATRO ARTES ◆ 15. OS FILHOS DA CANDINHA ◆ 16. PADRE JESUÍNO DO MONTE CARMELO ◆ 17. CONTOS NOVOS ◆ 18. DANÇAS DRAMÁTICAS DO BRASIL ◆ 19. MODINHAS IMPERIAIS ◆ 20. O TURISTA APRENDIZ ◆ 21. O EMPALHADOR DE PASSARINHO ◆ 22. OS COCOS ◆ 23. AS MELODIAS DO BOI E OUTRAS PEÇAS ◆ 24. TÁXI E CRÔNICAS NO DIÁRIO NACIONAL ◆ 25. O BANQUETE.

ENCONTRO COM ESCRITORES

Coleção Literatura Brasileira

Diretor editorial
Henrique Teles

Produção editorial
Eliana Nogueira

Arte gráfica
Ludmila Duarte

Revisão
Eduardo Satlher Ruella

EDITORA GARNIER
Belo Horizonte
Rua São Geraldo, 67 - Floresta - Cep.: 30150-070 - Tel.: (31) 3212-4600
e-mail: vilaricaeditora@uol.com.br

EDUARDO FRIEIRO

ENCONTRO COM ESCRITORES

2ª Edição

GARNIER
desde 1844

Dados Internacionais de Catalogação na Publicação (CIP) de acordo com ISBD

F9113   Frieiro, Eduardo, 1889-1992.

           Encontro com Escritores / Eduardo Frieiro. - 2ª ed. - Belo Horizonte, MG : Garnier, 2020.
           148 p. : il. ; 14cm x 21 cm.

           Inclui índice.
           ISBN 978.65.990.765-2-7

           1. Literatura Brasileira. 2. Ensaio. I. Título.

                                            CDD 869.94
2020-447   CDU 82-4(81)

Elaborado por Vagner Rodolfo da Silva - CRB-8/9410

Índice para catálogo sistemático:

1. Literatura brasileira : Ensaio 869.94

2. Literatura brasileira : Ensaio 82-4(81)

Copyright © 2020 Editora Garnier.

Todos os direitos reservados pela Editora Garnier.
Nenhuma parte desta publicação poderá ser reproduzida
sem a autorização prévia da Editora.

SUMÁRIO

Com Leopardi 9
Com o Homem Shakespeare 13
Recordando um Doutor Herético 17
Com Unamuno em Portugal 20
Sobre um Livro de Ortega 24
Com Ortega e Toynbee 28
Um Antepassado Intelectual 32
Com Cioran, o Metafísico da Negação 36
O Pessimismo de Sarte e Camus 40
Relendo um Moralista 44
Com Jules Renard no seu Centenário 48
O Humor Negro de Papini 52
O Diário de um Rabujento 56
Hudson e o Cardeal 63
Do meu Flos Sanctorum 66
Ontem Famoso, Hoje Esquecido 69
Com Antero, Reformista Social 73
Com "Juana da América" 77
Mark Twain e Lobato 81
Com São Boemundo 85
A Prosa Ribeiriana 85
O Sábio Polígrafo 87
Em Face da Religião e da Política 88
O Mestre Risonho 93
Bilac e a "Quarta Geração Romântica" 97
Duas Notas Sobre Machado de Assis 101
A Gaguice e a Timidez de Dom Casmurro 104
Riancho, Esquecido 107
Alfredo Camarate e a Nova Capital Mineira 110

OUTROS ESCRITORES

Dois Romancistas da Terra Minera 115
   1. Amadeu de Queirós 115

2. Gilberto de Alencar 119
O Romancista Avelino Fóscolo 123
   Notas Subsidiárias 143
   Sobre o Romance "A Mulher" 143
   Anunciado Novo Livro de Fóscolo 144
   Sobre "O Caboclo" 145
   Perfil de Fóscolo 146

COM LEOPARDI

Andei folheando o *Zibaldone di pensieri*, diário secreto de um homem de gênio, documento humano sem par em qualquer outra literatura. Andeifolheando em busca de certo pensamento de Leopardi e deparei com um, que me pareceu existencialista. Retive este texto, que traduzo:

"*Nada preexiste às coisas. Nas formas, ou ideias, nem necessidade, nem razão de ser, e de ser assim ou assim, etc, etc. Tudo é posterior à existência.* (3 setembro 1821)."

Está bem claro: a existência precede a essência.

E logo diz que, suprimidas as ideias inatas, suprime-se Deus, suprime-se toda verdade, todo bem e todo mal absolutos, suprimem-se todas as desigualdades de perfeições, etc.

Leopardi chama Otimismo ao seu sistema. Ainda é moço. E raciocina a destruição das ideias inatas destrói, outrossim, a ideia da perfectibilidade do homem. Parece o oposto porque se todas as ideias são adquiridas, logo o homem é menos devedor e dependente da natureza e em consequência pode e deve aperfeiçoar-se por si mesmo. Destruída com as ideias inatas a ideia da perfeição absoluta substituída pela da perfeição relativa. Isto é, aquele estado que é perfeitamente conforme à natureza de cada gênero de seres, achamo-nos na posição de renunciar às loucas ideias de incremento, perfeição e aquisição de novas qualidades boas (que já não são boas por si próprias, como se acreditava), de aperfeiçoamento modelado sobre falsas ideias do bem e do mal absoluto e absolutamente maior ou menor. Conclui-se então, que o homem é perfeito como a natureza o fez: apenas as suas faculdades conseguiram aquele desenvolvimento que a natureza, primitivamente, lhe decretou e indicou.

Ora bem, se a ideia de todo absoluto é falsa, que resta da ideia de Deus? Leopardi concebe-a deste modo: como causa universal de todas as coisas que são e podem ser, e de sua maneira de ser. — Mas a causa desta causa, qual será? Nada preexiste às coisas. Não preexiste pois a necessidade. Preexiste, no entanto, a possibilidade. Nada podemos conceber além da matéria. Dentro dos limites materiais, e na ordem das coisas que nos são notórias, nada pode acontecer sem razão suficiente. O mundo não pode ser, e ser como é, sem uma causa fora dele. Está entendido que nada é absoluto nem portanto necessário. Mas justamente porque nada é absoluto, quem nos diz que as coisas fora da matéria não possam ser sem uma razão suficiente? Não pode um Ser onipotente subsistir por si *ab eterno*, e ter feito todas as coisas, se bem que, absolutamente falando, não seja necessário? Justamente porque nada é verdadeiro nem falso absolutamente, não é ele perfeitamente possível?

Leopardi considera Deus, em resumo, não como o melhor de todos os seres possíveis, já que não há melhor nem pior absolutos, mas como o somatório de todas as possibilidades, existente em todos os modos possíveis. Era em verdade a máxima concessão que no seu *inconsolabili* ateísmo (como o qualificou Francesco Flora) o poeta fazia à ideia da divindade.

O existencialismo busca antes de nada o "real verdadeiro". *"Meu sistema — diz Leopardi — introduz não só um Cepticismo relacionado e demonstrável mas ainda tal que a razão humana, qualquer que seja o progresso possível, jamais se despojará deste Cepticismo, o qual aliás contém o verdadeiro, e por ele se demonstra que a nossa razão não pode absolutamente achar o verdadeiro toda vez que julga com certeza; e que não só a dúvida ajuda a descobrir o verdadeiro segundo o princípio de Descartes, etc."*

Recomenda, pois, a dúvida, a suspensão do juízo, aconselhada pelos céticos gregos. Não fica no ceticismo, entanto; ao contrário, pretende chegar à verdade, ao "real verdadeiro". Não temos aí, sob essa forma vaga, uma exigência do concreto, que está na base do existencialismo?

O dolente, egocêntrico, enfermiço Leopardi foi definido como *ottimista sfiduciato*. As acres realidades da sua existência justificavam tal "otimismo desconfiado". Era mofino de corpo, sensitivo e tímido. Corcunda — *"tronco che sente e pena"*—, evitava nas ruas os transeuntes que o olhavam de soslaio.Ainda assim, encontrava garotos, descaradamente impiedosos, que lhe gritavam, pulando em sua volta e apontando-lhe a corcova: *Gobbus esto famima un canestro, fammele cupo, gobbe fotute.*

Doente da alma e do corpo, pobre e triste, mas orgulhoso e ambicioso. Aos vintes anos, confessou, era grandíssimo o seu desejo de glória. Ansiava por amor, apaixonadamente, e queria viver intensamente com tudo o que a existência oferece de bom e de mau. Passada porém a juventude, ante o contraste entre a vida interior e o mundo externo, indiferente, inexorável, a vida lhe pareceu como um valor inelutavelmente negativo e viu na morte a consoladora única. Como pudera ter amado tanto livros e estudos, desígnios de coisas grandes, esperanças de glória e imortalidade?

"Se me fosse proposta — reflexionou então — *de um lado a fortuna e a fama de um César ou de um Alexandre, limpas de toda mancha, e do outro lado a morte imediata, e devesse escolher, eu diria: a morte hoje, e não tardaria em resolver-me."*

Não se matou, é certo. Numa página em que discorreu sobre os motivos da infelicidade e a legitimidade do suicídio, ressalvou as consequências naturais do raciocínio com a patética distinção entre razão e natureza. Matar-se é ato de razão; contrário à razão é o apego do ânimo à vida, pois que *"il vivere è sventura, grazia il morir"*. Mas o suicídio é um ato fero e inumano. A natureza impele a viver, e o homem lhe obedece por força do instinto e com o desprezo da razão.

As ideias desencantadas do poeta nasciam dos seus padecimentos físicos se morais, não de sua cerebração privilegiada: isso afirmavam os seus desafetos. O poeta protestava. Negava-o categoricamente. Não pensava de tal maneira por causa dos sofrimentos físicos e desgostos íntimos que o abatiam. Sentia-se angustiado pelo humano existir, angústia que nascia tanto de uma meditação do eu individual, como da consideração do eu social. Angústia oriunda de *l'echec*, diria um existencialista francês, consubstancial ao malogro do homem em face da absurdez do próprio existir.

Voltava-se contra ídolos, vaidades, farisaísmos e superstições, e via o homem condenado a destruir-se de encontro à fraude e à quimera. Perdera cedo toda a fé na felicidade e no valor da existência. Desvanecera-se o seu entusiasmo juvenil pela pátria. No pessimismo cósmico, que sucedera ao pessimismo relativo que alimentara na mocidade, via a dor em toda a Natureza e na Humanidade. Inimiga, indiferente e ignara, a Natureza. Cruel e sofredora, a Humanidade, cuja verdadeira tragédia consiste na sem-razão da vida e na solidão do indivíduo. Só restava a morte, *"la fredda morte ed una tomba ignuda"*.

Depois? Não há depois. *"Duas verdades* — excogitava — *em que os homens geralmente nunca acreditarão: uma, a de não saberem nada; outra, a de não serem nada. Acrescente-se a terceira, que tem muita relação com a segunda: a de não haver nada que esperar depois da morte"*.

Todo o pensamento de Leopardi é uma revolta contra o mal de viver. Que laços o prendiam ao mundo? Os da ação. Os do sentido fáustico, goethiano, do valor, que dá o tom à civilização ocidental: atitude de Prometeu que se levanta contra todas as forças vitais a que se sente atado, jungido às dores e misérias do destino. Sem fé religiosa, a significação ativa da sua vida achava-se na poesia e no pensamento, e, destarte, "refugiando-se no reino da palavra, subtraía-se ao sofrimento", no dizer de Francesco Flora.

Não há porque relacionar a angústia desesperada de Leopardi com seu déficit de saúde. O "doutor do pessimismo", Schopenhauer, tinha fortíssimo apego à vida, embora a houvesse negado nos seus escritos. Fundou a sua filosofia existencial no pensamento calderiano: *"pues el delito mayor del hombre es haber nacido"*. Sem embargo disso, amava, bebia, e comia bem, poupava tempo e saúde, viveu muito — e tocava flauta, o sátiro!

No pensamento dos existencialistas franceses da atualidade (Sartre, Bataille, Merleau-Ponty, Gabriel Marcel, Camus) exprime-se tão descarnadamente como em Leopardi e em Schopenhauer o mesmo sentimento do absurdo da vida e da história. Camus só viu duas vias para a nossa libertação da ansiedade e da angústia: o suicídio e a revolta; e a revolta, unicamente lhe parecia capaz de dar sentido à existência humana. Mas quem se lembraria de achar sinais de enfermidade e sofrimento pessoais em Camus ou qualquer outro teorizador da angústia existencial?

A *infelicità* do pobre Leopardi era positiva, segundo os dados conhecidos da sua biografia. Mas o seu ceticismo amargo e doloroso era próprio de um filósofo.

12

COM O HOMEM SHAKESPEARE

Paul Valéry deixou dito em *Mauvaises pensées* que a personalidade do escritor nada tinha que fazer na obra de arte. Depois de lembrar que ignoramos tudo de autores de grandíssimas obras, diz textualmente: *"Shakespeare nunca existiu, e eu lamento que haja um nome nas suas peças. O livro de Job não é de ninguém"*. E mais: *"O que faz uma obra não é aquele que lhe põe o nome. O que faz uma obra não tem nome"*.

Pode-se dissentir. Afinal, o conhecimento a um tempo do criador e sua obra concorre para a ciência do homem — a Antroposofia, de que falou o próprio Valéry. A história literária é um aspecto da totalidade da história humana, na qual se integra o universo singular do artista. Mas tudo são "cuentos largos". Contos que, uma vez puxado o fio, já não têm fim. Nisso se entretemos eruditos.

E não há talvez em toda a história literária entretenimento mais apaixonado do que tentar penetrar no mistério da vida provada de Shakespeare, ou Shaksper, ou Schakspere, ou Shaxber... (O nome, segundo um erudito, pode grafar-se de 4.000 modos diversos).

O ignorante moço de açougue, depois obscuro ator-autor em Stratford-sobre-o-Avon, o mesmo que, fugido de lá em circunstâncias desconhecidas, se emprega em Londres em humildes misteres, esse ator de terceira ordem, morto apagadamente, teria sido o verdadeiro criador da obra maravilhosa que se conhece sob o seu nome? O problema surgiu há cerca de cento e setenta anos e continua insólito para muitos. Ainda hoje não se sabe com certeza certa, fora de qualquer dúvida, quem e como foi o maior gênio poético da humanidade. Vários críticos e historiadores literários, intrigados com as desproporções que enxergavam entre a vida do ator de Stratford e as obras que lhe são atribuídas, negaram-lhe tal paternidade, dando-a a Francis Bacon, a Spencer, ao Conde Rutland, ao Conde de Derby, ao Conde de Oxford... Suscitou-se por isso apaixonada controvérsia, que de quando em quando se renova e, supomos deve ter voltado à tona neste ano comemorativo do quarto centenário do nascimento do poeta. A polêmica tornou-se mesmo virulenta no século passado quando os stratfordianos e os antistratfordianos se agrediam com injúrias recíprocas em que os epítetos de "idiota", "cavalgadura" e "louco" eram chumbo que se trocava de parte a parte.

Houve quem sustentasse- sabe-se — que o comediante Shaksper, o humilde *player* do mofino teatro popular da época, jamais poderia ser confundido com o solar William Shakespeare porque este nome era a máscara ou criptônimo de Francis Bacon, Barão de Verulam, o filósofo chanceler. Mas não faltou logo quem apontasse as falhas e fraquezas da tese baconiana.

Outras apareceriam. Um erudito francês, Abel Lefranc, julgou-se bastante seguro para atribuir a William Stanley, Conde de Derby, a paternidade das peças e poemas Shakesperianos. A esta conclusão teria chegado, depois de haver consagrado mais de vinte anos de seu saber, sua perspicácia e sua operosidade à tese que sustentou numa série de estudos, intitulados *Sous la masque de William Shakespeare*. Posteriormente, outro erudito francês, Mathias Morardt, colocou-se francamente ao lado de Abel Lefranc com o seu livro *A la rencontre de William Shakespeare*, que viria provocar novos debates e comentários em torno do incitante problema.

Os argumentos invocados em favor do Conde de Derby, não eram tão decisivos como queriam os seus campeões. Outros investigadores chegaram a conclusões diferentes. Duas publicações, uma de J. Thomas Looney e outra de H.Amphlett, trataram de estabelecer que o autor das obras shakesperianas não era senão o Conde de Oxford, negando assim os direitos proclamados em favor de Bacon e outros, mediante os quais, anteriores críticos julgavam ter decifrado o enigma. Edmund de Vere, décimo sétimo Conde de Oxford, era o único autor possível (na opinião dos dois eruditos) das famosas peças clássicas que se representam com o nome de Shakespeare. Foi o Conde, no século de Isabel, um humanista, um letrado, grande viajante, cortesão, sábio, e tudo o que o homem de Stratford não podia ter sido. Coincidência surpreendente era a de ser ele o maior autor dramático de seu tempo. São muitos os argumentos apresentados, até a ponto de se assegurar que alguns dos famosos quadros, admitidos durante tanto tempo como retratos de Shakespeare, parecerem-se muito mais ao Conde de Oxford. Debaixo de um desses retratos se leem as palavras tantas vezes citadas de Bacon com a sibilina advertência a quem o contempla de que olhe "não a sua figura, mas a sua obra". Que insinuava com essas palavras? Várias interpretações têm sido dadas e nenhuma concludente. Alinharam-se outros indícios e tudo induzia à convicção de que o Conde de Oxford, por seu talento e experiência, tinha quando nada as qualidades necessárias para criar os dramas imortais.

Em qualquer dos casos ficou-se no campo das conjecturas onde se congeminam teorias que o progresso da crítica afasta do caminho como irrelevantes. É um campo sem limites, esse, o qual exige muita destreza dialética de quem nele empregue as suas forças e redunda nos melhores casos em belas sínteses que afinal não passam de esquematizações abusivas e de afirmações inverificáveis.

Mas não há mistério em toda essa história, pode dizer algum fiel do espiritismo. Não há, uma vez que Shakespeare apareceu em pessoa à médium norte-americana Sarah T. Stratford e lhe ditou um livro: *My Proof of Immortality: by Shakespeare's Spirit*. Apesar desta revelação e malgrado também as investigações de peritos em criptanálise, os céticos dão de ombros, considerando falazes as manifestações de além-túmulo e as conclusões de uma meia-ciência. Fica o campo aberto às tentativas dos matadores de charadas literárias.

Um curioso exemplo de como se pode ir por caminhos imprevisíveis no plano conjetural é o da comunicação, feita há poucos anos, por Carlo Villa, italiano, autor conhecido de estudos e romances históricos. Em Milão, via Crocifisso, 12 (afirmou-o com precisão), William Shakespeare mudou de nome e nacionalidade. Quem era ele, antes dessa metamorfose? Exatamente o poeta Michelagnolo Florio, nascido em Viltellina no ano de 1556. Órfão aos dezenove anos, Florio, de família protestante, foi constrangido a fugir para não ser vítima das perseguições a que estavam sujeitos, por parte dos católicos, os seus correligionários. Vagou algum tempo pela Itália, transferiu-se depois para a Espanha e passou em seguida para a Áustria. Emigrou dali para Atenas, onde ensinou História, e de lá foi ter à Dinamarca, decidindo-se por último a viver em Londres, onde seu primo Giovani Florio, dicionarista e tradutor de clássicos, conquistara uma cátedra em Oxford. Durante uma excursão teatral, precisamente em Stratford-sobre-o-Avon, conheceu o casal John Shakespeare e Marie Arden, os quais, vendo nele a reencarnação de seu filho William, morto em tenra idade, criaram-lhe afeição e ainda lhe deram por esposa a sobrinha Ana Hathway.

Tentou, sem êxito, uma empresa teatral, sob a proteção do Conde Pembroke, ao qual veio a deixar todas as suas obras, ao falecer em 1616. Algum tempo depois as obras eram publicadas com o nome de William Shakespeare. Carlo Villa, de quem se diz ter dedicado longos anos a pesquisas em tal sentido, notadamente na Biblioteca de Florença, não deixou de notar que oitenta por cento dos dramas de Shakespeare, são de ambiente italiano e com personagens italianas, enquanto os restantes têm como fundo de regiões e cidades em que Florio estacionou.

Romance? História verdadeira?

Há uma ideia que muito me agrada: a de que a História só perpetua mitos; isto é, o que passou, ou morreu, só subsiste na memória humana como imagem lendária, como um organismo em constante elaboração. Não foi sem propósito que E. Bertram deu o título de *Nietzsche: Ensaio de mitologia* ao seu livro sobre o criador do Zaratustra. É fácil convir que a biografia civil do homem Shakespeare não só parece inverídica nas linhas escassas com que chegou até nós, como apresenta ainda os sinais de uma ficção mal inventada.

Que importa, porém, a autenticidade da biografia do poeta? O que vale realmente e tem sentido é a autenticidade e superioridade de sua obra.

RECORDANDO UM DOUTOR HERÉTICO

Entre os chamados guias espirituais de nosso tempo (guia, quando nada, para os povos de cultura hispana), nenhum mais contraditório e desconcertante do que Don Miguel de Unamuno, cuja data centenária de nascimento transcorre a 29 de setembro deste desconsolado ano 25º de "paz espanhola". Um de seus críticos mais severos, Américo Castro, sem negar-lhe de modo algum a grandeza moral e intelectual, chamou-lhe certa vez *"engenhoso anarquista, avaro de si mesmo, desvalorizador de quanto pudesse incitá-lo a um trabalho de estrutura, escrutador sagaz de angústias humanas, às vezes grande artista; criador de paisagens, e de um estilo, entre campesino e artificioso, apto a bordejar ideias em que cético e cauteloso jamais embarca..."*

Juízo avesso de uma parte, e, de outra, justo, se o admitimos com matizes e lhe opomos outro, completo e certo, como o seu necessário complemento dialético.

Ninguém, em verdade, mais hábil sofista para fazer penetrar uma ideia quadrada numa realidade redonda, quisesse ou não a realidade. Nem mais ágil prestímano da palavra escrita capaz de extrair da manga do casaco os conceitos mais inesperados. Imprevisível dialético, parecia em dado momento afirmar uma coisa e logo a seguir, sustentava outra, e deste entrevero de opiniões fazia a sua vida. Quer dizer que a sua posição era comumente irracional e o conteúdo do que afirmava resistia mal ao entendimento? A resposta, neste caso, como em outros análogos, exige os seus "conformes".

Do homem Unamuno escreveu-se que era a contradição personificada. Tentaram deslindar-lhe as posições e atitudes, classificá-lo, catalogá-lo em fórmulas forçosamente simplificadoras, sem outro fruto, afinal, do que deixara impressão do indefinível, exatamente por ser ele unicamente igual a si próprio e a mais ninguém. Como captar através de ilusórias sínteses, mais ou menos jornalísticas, o autêntico perfil daquele homem ansioso de individualidade e unidade, como parece entremostrar-se no seu livro mais revelador, *Del sentimiento trágico de la vida?* Não é o homem, qualquer homem, pirandellianamente, *"uno nessuno centomila?"*. Isto é, alguém que corre, sempre, o risco de se diluir nas mil personalidades que os outros nos atribuem e emprestam?

Era fácil censurá-lo pelo sistemático espírito de contradição de que dava provas e por sua proclividade para o paradoxo. Unamuno defendia-se facilmente, rebatendo as censuras. Acaso não se diz que a contradição move o mundo e todas as coisas se contradizem a si mesmas? Pois bem, ele, precisamente usava às vezes a expressão *o contraditório* para significar o que de ordinário chamamos o *real* e pode designar-se mais apropriadamente como a constante oposição dos contrários.

Como era então o autêntico Don Miguel? Uns o definiam como filósofo, outros como poeta, outros como místico, outros como humanista, Vejamos o que mostrava ser, acima de tudo.

Reconheceu-se nesse típico representante da áspera alma espanhola, que ele tão bem captou na sua análise intuitiva do "casticismo" ibérico, um verdadeiro heterodoxo, um daqueles inquietantes heterodoxos que brotam do solo hispânico como produtos naturais e cuja espécie curiosa Don Marcelino Menéndez Pelayo estudou numa obra clássica. Visceralmente religioso, mas de fé insegura, o herético repele por insuficiente — ou demasiado suficiente — toda fé já feita. Sem o desacordo, sem o exame e a crítica, sem a heresia, a organização social, necessariamente instável, e antitética, correria o risco de se estabilizar, estagnar e corromper. *"É necessário que haja heresias"*, proclamava São Paulo: *Oportet haereses esse.*

Eis o que era, antes de nada, o nosso Don Miguel, professor de Salamanca: um doutor herético, consoante a definição de Pierre Janet: *"O herético sempre foi um doutor e promove o progresso precisamente porque não está satisfeito".*

Nunca o estava, esse filósofo da "não-conformidade". Vivia em estado de permanente descontentamento e indignação, chegando às vezes a tornar-se verdadeiramente furioso. Disso dependia talvez a sua boa saúde física e mental, aliás robustíssima. Escrevendo com força e calor, pode dizer-se que vivia energicamente as próprias ideias. Seu programa era, confessadamente, provocar descontentamentos, agitar os espíritos, suscitar questões, perguntas, dúvidas, despertar da modorra o povo espanhol. Tal como o declarava: *"Minha obra — ia dizer minha missão — é quebrantar a fé de uns e de outros, e de terceiros; a fé na afirmação, a fé na negação e a fé na abstenção".*

Expoente do liberalismo intelectual combateu encarniçadamente a monarquia bourbônica, o caciquismo político, o egoísmo e a responsabilidade das classes possidentes, o falso cristianismo da beataria nacional, a fé mais fanática oposta ao mais virulento anticlericalismo, a inépcia dos governantes e a pobreza mental dos dirigentes de sua pátria, todas as taras, em suma, de uma sociedade medieval e todos os vícios de uma terra que dá a vida mas não a pode de manter. Professor universitário, de vida profissional exemplar, sofreu perseguição sob a ditadura de Primo de Rivera e foi durante seu longo desterro um dos semeadores mais ativos da revolução que deu por terra com a deliquescente realeza afonsina. A República não o esqueceu. Celebrou condignamente o jubileu do mestre que se retirava de sua cátedra e o declarou seu cidadão de honra.

Don Miguel foi chamado então a colaborar, com assento no parlamento, na modelação da figura do novo regime. Mas não seria aquele o clima adequado ao seu espírito inquieto, agitador de ideias. Tanto mais que a República não era aquela com que sonhava. Voltou pois para a sua tribuna de jornalista pugnaz, mais descontente e pessimista que nunca. Via com apreensão o rumo catastrófico que tomava a luta entre a obtusa má fé dos homens da extrema direita e o radicalismo delirante dos homens da extrema esquerda. A um jornalista que o entrevistara, no começo da guerra civil, declarou que não vislumbrava um raio de luz no futuro da Espanha. Só via o mais cerrado fanatismo, tanto de uma parte como de outra. Nos primeiros dias da luta inclinou-se para o lado dos nacionalistas, mas não tardou em separar-se de um movimento que se condenava por seus excessos políticos e seu reacionarismo absoluto. Teria dito então aos partidários de Franco: "Vencereis, mas não convencereis".

Esteve sempre em pugna com o "viver" espanhol, que para ele era um permanente motivo de indignação. Um grande europeu, E.R. Curtius, chamou-lhe com acerto *excitador Hispaniae*. Doía-lhe a situação da pátria. Por isso excitava, fustigava com a pena os seus patrícios, intentando disseminar a inquietação nos que o liam. Excitou-os eficazmente, ou fomentou ainda mais o desfibramento e a incoerência nativas?

A obra que deixou tem sido examinada sob os mais diversos ângulos e entendida das mais diferentes maneiras. Era pascalino o pensamento que encerra no fundo, diz um; kierkegaardiano, diz outro. Existencialista? Católico? Heterodoxo, sem qualquer dúvida. Incréu, almejava crer. Tinha fé na fé, carecendo, porém, de fé em alguma coisa. O medo da morte e a ânsia da imortalidade dão a tônica da sua filosofia. Negava, entretanto, a ordem transcendental e a imortalidade da alma. Uns analisaram sua interpretação da existência espanhola outros sua obra poética, outros ainda suas novelas, seu ideário linguístico, seu "sentimento cósmico", etc. etc. Tratar de desentranhar uma filosofia, que certamente existe, na vasta obra unamuniana, obra de pensador e de artista, não estruturada naquele sentido, é meter-se num cipoal de afirmações e negações inextricáveis.

COM UNAMUNO EM PORTUGAL

Neste ano centenário do nascimento de Miguel de Unamuno, folheio ao acaso alguns de seus livros, lendo uma página aqui, outra acolá, detendo-me em muitas. O temperamental pensador espanhol é dos que agarram o leitor e não o soltam com facilidade. Sobra-lhe o que falta em muitos escritores: o temperamento, a garra. Nem sempre concordamos com o que diz, altercamos com ele, brigamos muita vez com as suas oscilações entre teses contrárias que, como oposições ativas, se conciliam afinal numa unidade suprema. Mas como é incitante, sempre, sempre!

Pelos anos de 1907 e 1908, Unamuno publicou na imprensa periódica de língua espanhola uma série de artigos acerca de Portugal, país que ele percorrera em boa parte por mais duma vez. Amava aquela terra e admirava os seus melhores escritores. Naquele último ano encontrara Portugal mergulhado no pessimismo mais desalentador. Um braço anarquista exterminara o Rei D. Carlos e seu filho Luís Filipe, sem que o povo, aletargado pela miséria e o atraso e oprimido por tremenda crise econômica e política, lamentasse o fim de um soberano inteligente mas irresponsável, uma espécie de Falstaff no físico e moral, execrável da vida, que desprezava a pátria em que reinava. "Isto é uma piolheira!" costumava dizer. Sonhava-se com a República, que não tardaria a proclamar-se.

Os artigos a que aludimos foram recolhidos na primeira parte do volume *Por tierras de Portugal y España* e são interessantes as observações nele contidas, embora redigidas como apressadas notas de viagem.

Falando do poeta conimbricense Eugênio de Castro (tão querido dos simbolistas brasileiros), referiu-se Unamuno ao mais sentido e mais português dos seus poemas — o da tragédia da pobre Constança, mulher do Infante D. Pedro, o da paixão desatinada por Inês de Castro. Cria descobrir nele um símbolo do próprio Portugal, *"desse fermosíssimo e inditoso Portugal que desde o dia lúgubre de Alcácer-Quibir parece viver vagamente submerso em cismas de passadas grandezas".*

Na literatura portuguesa via duas notas dominantes: a amorosa e a elegíaca, e a terra lusa lhe parecia a pátria dos amores tristes e a dos naufrágios. Assinalava a este propósito uma obra portuguesa profundamente representativa, transbordante de paixão dolorosa. Adivinha-se qual seja: é o *Amor de perdição* de Camilo Castelo Branco, obra de paixão trágica e reconcentrada, na qual a figura de Mariana, traçada magistralmente pelo romancista, é como outra desesperada Constança, que se sacrifica para reconquistar o carinho de Pedro, perdido de amor por Inês.

Sem negar o valor de alguns clássicos portugueses, entendia o professor de Salamanca que a literatura de Portugal, enquanto merecedora de leitura, datava do período romântico, da época de Garret e Herculano, e que a sua verdadeira idade de ouro era a "atual", isto é, a de fins de século passado, de Camilo e João de Deus à geração notabilíssima dos "Vencidos da vida". A João de Deus, que viveu a suspirar de amores e tristezas, estimava-o como o maior lírico português entre os mortos, prodígio de singeleza, graça e sentimento. Quental era de cepa diversa. Que profundeza de desesperação e que intensidade de angústia religiosa via nos seus sonetos, às vezes ossudos e descarnados, mal recobertos pela fantasia! Era uma alma que se podia colocar junto às de Senancourt, Leopardi, Kierkegaard e outros grandes desesperados. O tom de irremediável tristeza, que se acha em Antero, interpretava-o como característico da literatura portuguesa. E o tom que também se encontra nos morosos devaneios de Antônio Nobre, autor do "livro mais triste que há em Portugal", segundo as próprias palavras do poeta.

Essa tristeza, em boa verdade (não o diz Unamuno), tinha raízes no *pathos* específico da quarta geração romântica, a que se referiu Seillère, criada sob a égide de Schopenhauer e cujo mal tinha um nome: *pessimismo*, assim como a anterior tivera o de mal do século. Sem esquecermos um fator muito pessoal de abatimento do espírito: o pesado *déficit* de saúde, que havia tanto em Antero de Quental como em Antônio Nobre. Um. neurótico de talento superior, acometido da "náusea da realidade", contraditório e frustrado, acaba no suicídio. O outro, doente da alma e do corpo, amando a vida e dela recolhendo unicamente o tédio, destilando dor física na própria poesia, sabe que morrerá moço, minado pela tísica implacável.

Já em Correia de Oliveira, nascido sob outro signo, nada desconsolado, há uma volta à prístina pureza campesina de João de Deus, junto com uma suavíssima palpitação de unção religiosa.

Dois portugueses afinavam de modo especial com o temperamento unamuniano, bravio, enérgico e batalhador, ambos trazendo a marca dos que, sempre descontentes, se indignam e apaixonam, protestam e imprecam, como os profetas bíblicos. Um era Camilo; o outro, Junqueiro. Dizia-lhe este, referindo-se àquele: Camilo, alma apaixonada e tormentosa, foi mais espanhol que português, havendo nele, às vezes, o negro humor quevediano.

E também Junqueiro, que isso lhe dizia, era um gênio ibérico, muito mais que português: "A mim me parece muitas vezes fundamente espanhol, sendo fundamente português".

Ler Camilo é viajar por terras de Portugal, "o Portugal das almas", e Unamuno viajava por elas lendo livros de Camilo, uns após os outros. Nele sachava a alma lusitana, trágica, fatídica, patética. *"Acuso-me — havia dito o romancista num de seus livros — acuso-me de ter feito chorar com minha fantasia a muitas pessoas incapazes de verter uma lágrima balsâmica sobre uma chaga de miséria verdadeira."* E Unamuno: *"Sim, Camilo faz chorar; seus livros parecem escritos com lágrimas de fogo, que queimam. E a história toda de Portugal não faz, acaso, chorar ? Não é algo plangente?"*

Em outra obra, *Soliloquios y conversaciones*, menciona as palavras dum amigo lusitano que lhe explicava as razões de sua intensa admiração por Camilo e porque o preferia, de longe, a Eça de Queirós, apesar da voga que este alcançara. Eça era falso — dizia-lhe o amigo —, é artificioso, sua ironia é alguma coisa rebuscada e de imitação, de moda ou escola, é algo que não lhe brota das entranhas portuguesas, etc. etc., ao passo que o sarcasmo de Camilo é nosso, é vernáculo, é português, talvez o mais intimamente português que há na literatura de Portugal. Camilo, aduzia, é incapaz de ironia, ou porque sua cabeça está por baixo, ou porque seu coração está por cima. Unamuno concordava. O coração de Camilo era, com efeito demasiado tumultuoso e inflamado para se contentar com a ironia. Camilo verbera e insulta.

Não negava que, por baixo da vestidura francesa, o ironista Eça fosse integralmente português. Sua desesperança e seu desalento eram portugueses, e portuguesa era também a sua zombaria. A nota zombeteira e satírica — observava — vai de braço em Portugal com a nota erótico-elegíaca. "Parece um povo que não sabe senão chorar ou escarnecer. E o escárnio sói ser uma maneira de chorar,"

Don Miguel tinha em pequena conta os historiadores eruditos, arquivistas áridos e pesadões, tanta vez. Preferia os historiadores artistas, os que tratam a História poeticamente, como Michelet, Taine, Macaulay, Carlyle. Era grande, por isso, a sua admiração por Oliveira Martins, em quem via um historiador artista tão eminente como os citados. Não vacilou em considerá-lo o mais artista e o mais penetrante que teve a península no passado século. E mais profundo que um artista. Sua fantasia — disse — chegou a profundidades a que a fatigada ciência de outros não tem alcançado. Sua *História da civilização ibérica* deveria ser um breviário de todo espanhol e todo português culto. Confessou: *"Este homem é uma de minhas debili-*

dades. Quanto aprendi nessa obra triste — referia-se a Portugal contemporâneo, — como ele a denomina! Oliveira Martins era um pessimista, vale dizer, um português."

Iniciada por Camilo, um precursor no sarcasmo e na dúvida, que sacudira a sentimentalidade romântica dos seus patrícios, a crítica demolidora e a ação pedagógica de Oliveira Martins, Quental, Eça, Ramalho, Junqueiro, Teófilo Braga e outros escritores públicos, muito concorreram para abalar o exausto liberalismo agrário e derruir a carcomida monarquia bragantina, substituída por um regime esclarecido. Mas a República funcionou mal. Mudara-se o regime, porém a classe dominante, parasitária e anti progressista, permanecia a mesma, aferrada a uma estrutura econômica e social arcaica, e infensa a toda reforma que tocasse nos seus abusivos privilégios.

SOBRE UM LIVRO DE ORTEGA

Só agora li *La idea de principio em Leibniz y la evolución de la teoría deductiva*, livro que José Ortega y Gasset terminou na sua quase totalidade em 1947, deixando-o em parte inconcluso, e veio a editar-se três anos depois de sua morte, juntamente com outras três obras, aparecidas há dois anos.

Com referência a toda a obra do prolífico pensador espanhol - agnóstico e cético *selon mon coeur* —, este livro representa "uma absoluta, surpreendente *novidade*", no dizer do esclarecido orteguista Julián Mariás, e novidade não só por sua estrutura como por seu conteúdo. Livro em verdade difícil, técnico, para especialistas das ásperas lucubrações filosóficas. Mas mesmo assim atraente em muitas das suas partes, rico em *atisbos* incitantes, elaborados por um sutil espírito, singularmente destro no meneio dos grandes problemas da inteligência especulativa.

Alguns capítulos, sobretudo os do terço final, são legibilíssimos e neles voltamos a encontrar todos os alicientes estilísticos e discursivos do mestres em par do ensaísmo filosófico moderno.

Agnóstico e cético, Ortega? Assim o entendemos e nossa opinião nada tem de singular. De igual modo o entendeu um padre jesuíta, Joaquin Iriarte, em editorial da revista espanhola *Razón y Fe*, no qual situou o orteguismo "em silhueta agnóstica, elegante quanto se queira, culta em extremo, porém cética no fim de contas".

As meditações de Ortega sobre o pensar filosófico levaram-no a concluir que a Filosofia é um malogro, errônea por sua própria constituição. Deve-se por isso menosprezá-la, abandoná-la? De modo algum. "A Filosofia, assegura-nos, *proporciona a homem e mundo suas defectivas razões.*" Não vive de consecuções, nem se justifica por seu logro. *"Ao contrário: em face de todas as demais atividades humanas de ordem intelectual, caracteriza-se por ser um fracasso permanente; e, sem embargo, não há remédio senão intentar sempre de novo, acometer a tarefa sempre abortada; porém, eis aí!, nunca rigorosamente impossível. E a perene fadiga de Sísifo elevando, uma e outra vez, vamente, a pesada pedra do vale ao cume."*

Não é unicamente a atividade filosófica que cabe encaixar nesta comparação. Toda a ação humana já foi muita vez simbolizada na imagem de

Sísifo a consumir-se num malogro sem fim. O homem, porém, recusa-se a crer na inutilidade dos seus penosos esforços. Não importa mesmo que os considere vãos: no seu próprio afã inútil descobrirá fontes secretas de alegria e felicidade *"Il faut imaginer Sisyphe heureux"*, disse Camus. Tal é a moral do sisifismo.

Em face desta moral, o malogro se converte no seu contrário, para o caso da Filosofia e outros casos de atividade humana. "Como a Filosofia é uma atividade, pondera Ortega, e a atividade é um movimento, e o movimento tem um *terminus a quo*, do qual parte e que abandona, e um *terminus a quem*, ao qual espera e pretende, diremos que a Filosofia, desde que arranca, logra já transcender aquele e nunca chega a este."

Em *El Espectador, III*, Ortega deixou entendido que a vida plena, no campo das ações humanas, nos aparece sempre como um esforço de duas espécies: o esforço obrigado a que uma necessidade imposta — não inventada nem solicitada por nós — nos move e arrasta e o esforço que fazemos pela simples deleitação de o fazer. Exemplo máximo do primeiro caso temo-lo no que costumamos chamar trabalho, ao passo que o segundo se acha naquela espécie de esforço supérfluo de que o desporto é o tipo mais claro. O desporto pelo desporto, entenda-se, e não o desporto profissional, que é uma aberração moderna do que foi nas origens.

Esta reflexão levava-o a considerar a atividade lúdica, desportiva, como a atividade primária e criadora, como a mais séria e importante da vida, e a atividade laboriosa como derivada daquela, como mera decantação e precipitada. E chegava com suas reflexões a este aparente paradoxo: na vida, o mais necessário é o supérfluo. Adiante, em *El Espectador, IV*, num debuxo sobre o surgimento do Estado, esquematizou sua origem desportiva e festival.

Em *La idea de principio en Leibniz*, Ortega atribui a mesma índole desportiva à Filosofia. Por seu conteúdo, assim o reconhece, a Filosofia tem certo caráter intensamente dramático e patético. Como teoria e mera combinação de ideias, assume no entanto a feição de jogo e festa, e seu estilo risonho semelha a do certame de competição agonal: *"Como se juega al disco y al pancracio, se juega a filosofar."*

Nossas crenças — diz além — são para nós a nossa própria realidade: o plano de nossa vida em que funcionam e a elas obedecemos, é profundamente sério, a ponto de que todos os mais, em comparação, sejam vida mais ou menos imaginária, isto é, *não séria*. Recorda, a este propósito, a nossa situação na poesia: sua essencial *irresponsabilidade* é o dom prodigioso, outorgado a alguns, que torna possível nos demais mortais *"uma hora de sueto metafísico e liberação da onerosa seriedade, que é a vida"*.

O caso da poesia é o mesmo, com diversa gradação, do orbe que constitui as verdades científicas, as teorias, as ideias. O tom adequado ao filósofo não é, pois, senão "a alciônica jovialidade do desporto, do jogo".

No capítulo intitulado "*La duda, principio de la filosofia*", lembra que Descartes repele de plano (em face de Aristóteles) a curiosidade como causado filosofar: filósofo só pode ser, cartesianamente, quem não crê ou crê que não crê, e por isso necessita absolutamente fazer por encontrar algo como uma crença. "A filosofia é a ortopedia da crença fraturada". Não foi, pois, Descartes quem inventou a dúvida metódica. "A dúvida em filosofia é anterior a todo dogma ou e a quaisquer teses filosóficas, e os torna possíveis. O assunto é simples como dizer: bom dia! Não há esforço cognoscitivo sem um problema prévio que o dispare. O problema é a *quaestio*, a dúvida: o ser A ou nãoser A de alguma coisa. [...] Por isso Hamlet é o herói filosófico por excelência. É a dúvida metafísica por trás das gambiarras." Há épocas em que o duvidar disto ou daquilo é um modo de crer. Outras há, porém, em que se duvida até do que se crê. A nossa está nesse caso. Antifilosofismo? Só aparentemente. Estamos na alvorada da maior época "filosófica" — assevera o filósofo espanhol.

Muitos, entre os que tomam demasiado a sério os seus filosofemas, torcerão o nariz ao que diz o malicioso Ortega. Notadamente os existencialistas sartrianos. Porque não é questão de *s'engager* ou de *ne pas s'engager*. Trata-se de alguma coisa de compleição lúdica e não patética. Ortega faz pouco dos existencialistas, a começar de Heidegger. E é duro com o angustiado Kierkegaard. Chama-lhe histrião escandinavo, *"histrión superlativo de sí mismo"*, e, mais desdenhosamente ainda, *"típico genio de província"*. Vê nele aquela *"hinchazón moral que suele padecer el intelectual adscripto a la gleba provincial, que sabe no poder abandonar nunca"*, e necessita absolutamente ser "a exceção", "o extraordinário". Confessa: "*Yo he conocido otro hombre sumamente parejo a Kierkegaard y por eso conozco a éste muy bien.*" A carapuça, não sei se me engano, aplica-se ao seu compatrício Miguel de Unamuno, entusiasta do existencialista dinamarquês. Nota ainda Ortega que Kierkegaard tem hoje a melhor imprensa e, de passagem, considera ter-lhe ensinado a experiência que todo aquele que goza de boa imprensa é suspeito.

Com que então não há filosofia *engagée*? Mas toda a filosofia o é, retrucarão os marxistas. A teoria da filosofia, ou da arte, como jogo, como algo gratuito, é própria duma "Intelligentsia" individualista e parasitária, decadente, — dirão eles. Desportivamente ou não, como atividade lúdica ou não, não há tomada de posição "inocente", afirma peremptoriamente Georg Lukács, em *La destruction de la raison*. Nem analogamente, para a política, cuja origem, segundo para Ortega — já o vimos —, é desportiva, uma vez que atribui desportividade ao próprio Estado.

Mas, afinal, se tudo é jogo (*homo ludens*), também as dissenções neste particular não passarão de meros jogos de palavras, pois não?

27

COM ORTEGA E TOYNBEE

Os leitores brasileiros de José Ortega y Gasset, muito numerosos, não ignoram que o volume *Una interpretación de la historia universal*, publicado postumamente, o ano passado, é uma compilação das lições que o pensador espanhol ministrou num curso do Instituto de Humanidade, de Madri, pelos anos de 1948 e 1949. O curso compôs-se de doze lições em torno da obra de Arnold Toynbee, *A Study of History*, e constituiu as reações de um eminente historiólogo diante da opulenta síntese de um historiador que, mais talvez que qualquer outro, trabalhou por captar num grandioso corpo de ideias o sentido das vicissitudes históricas do gênero humano desde a primeira aparição da espécie de sociedades denominadas *civilizações*.

Toynbee, como Spengler, é um profeta da decadência, no sentido de que admite que a nossa civilização ocidental se acha em sua fase de acaso. Em que se funda esse profetismo de mau agouro? Spengler familiarizou-nos com a ideia de que as culturas não escapam ao destino vital de todo organismo: o prêmio do próprio amadurecimento é a decrepitude e a morte. Aí teríamos, para confirmá-lo, os restos das culturas sumérica, egípcia, helênica, romana, bizantina, islâmica, hindu, maia e outras. Toynbee aceitou a ideia de que as civilizações morrem. Uma vez cumprido o ciclo de sua gênese e crescimento, o período de desintegração é quase inevitável. Sintoma principal? Para Spengler, acha-se na "segunda religiosidade", que significa a fuga, o retorno à "obscuridade do misticismo primitivo". Para Toynbee, dá-se exatamente o inverso: a desintegração nem sempre reduz a pó uma determinada civilização. Pode ao contrário, originar civilizações filiadas, numa relação de mãe e filhas. Um renascimento religioso seria a ponte estendida entre o corpo cultural em agonia e a forma que nasce. As grandes religiões permitiriam essa ligação; compreende-se então a história como uma "empresa com propósito", capaz de caminhar ciclicamente por seus próprios meios, sempre para diante e de conformidade com algum plano divino. Esta lhe parece a significação da História, sobretudo evidente no caso da religião cristã. Em resumo de contas, os diferentes tipos de sociedades seriam outros tantos momentos da alma humana para realização da sociedade divina. A sua "teodiceia cristã", como já foi chamada converte afinal toda derrota em triunfo, toda morte em sobrevivência.

Claro que o fundamental, tanto na tese de Spengler como na de Toynbee, se acha na explicação do metabolismo histórico de certas culturas ou civilizações como organismos particulares encerrados em ciclos incomunicáveis. Como se formaram e puderam existir, à maneira de organismos, com certa periodicidade que permite explicá-las, comparando-as entre si? Aqui é que ambas as teses fascinantes em extremo grau no seu desenvolvimento, mas fundadas em intuições a priori, esbarram e desmoronam diante das análises críticas.

O método de Arnold Toynbee consiste em uma investigação empírica sobre o ciclo vital de vinte e um espécimes originais da espécie biológica denominada *civilização*, quinze dos quais nascem de outros precedentes. Como se reconhece esta filiação? Nisto: a nova civilização emerge mediante a destruição por povos bárbaros do Estado universal (o Império Romano, por exemplo) que desde o subsolo é inundado por um princípio religioso que se transmitirá residualmente à civilização historicamente emergente. Além dessas quinze, considera o historiador seis outras, originais, sem precedentes, nascidas de si mesmas, a saber: egípcia, sumérica, egeia, sínica, maia e inca. Não as deriva das sociedades primitivas: atribui o fato da civilização a uma mudança radical, súbita, de uma vida estática para uma vida dinâmica.

Ortega y Gasset tem como sumamente arbitrária a separação entre sociedades primitivas e civilizações, feita por Toynbee. Admitir a separação equivale a colocar-nos diante de um estranhíssimo fenômeno: o espontâneo surgimento da maravilha que é sempre uma civilização. Toynbee reconhece que não pôde encontrar nenhum ponto fundamental que marque o trânsito de umas para outras. Isso, porém, não impediu de atribuí-lo a uma mutação radical: enquanto umas permanecem estáticas, outras entram em movimento. Como se opera o milagre? Como, indaga Ortega, após trezentos mil anos de quietude, um belo dia, junto ao Eufrates e à margem do Nilo, surge o florescimento prodigioso da vida móvel, inquieta e rica que se chama civilização? Aqui recai a análise empreendida por Toynbee, traduzindo-a a uma ideia que não pode dizer-se unicamente sua, porém que, inegavelmente, expressou com grande energia e superior talento. A chave do dinamismo histórico, das transformações operadas na situação humana, das vitórias e derrotas do homem, achar-se-ia na dupla categoria do que ele denominou *"challenge and response"*, repto e resposta.

Ortega aplaude a ideia, que em verdade já se achava, exposta de outro modo, em uma de suas obras. Aplaude-a, mas criticando-a com alguma minúcia. Primeiro porque os fatos repelem esse princípio de repto-resposta como gênese da civilização; segundo porque os povos que respondem ao repto já possuíam o que Toynbee chama civilização; terceiro, conseguintemente, por lhe parecer inaceitável o pressuposto de que a civilização é inteiramente diferente da vida primitiva; quarto, enfim, porque o dinamismo repto-resposta é permanente e congênito no homem, sendo inadmissível supor que não atuava já e atua na vida das sociedades primitivas. Diz Ortega:

"*Toynbee imagina que estas representam um estado de equilíbrio entre o homem e o meio. O resultado, porém, é que também a civilização consiste em que, diante da mutação do meio, o homem cria um novo equilíbrio. Como quase sempre acaba tropeçando na própria ideia. É gravemente errôneo, mais ainda, obtura completamente a compreensão da História e dos destinos humanos crer que existiu alguma vez um estado de equilíbrio em seu viver. Tal equilíbrio é utópico e só caberia falar de um mais ou menos desequilíbrio. O homem é um animal essencialmente desequilibrado que, entretanto, existe; o que quer dizer que não é propriamente um animal, cujo existir é sempre equilíbrio, ou se não, é deixar de existir. A esta paradóxica condição de constitutivo desequilíbrio deve o homem toda a sua graça e toda a sua desgraça, toda a sua miséria e todo o seu esplendor.*"

Toynbee repele a ideia de que a raça influa na gênese da civilização, visto como todas as raças, exceto a negra, criaram civilizações. Ortega pondera que não é isso que se costuma discutir. O que se quer saber, desde Gobineau, é se há uma raça capaz de criar a civilização mais excelente. A questão não existe para Toynbee, que nivela todas as civilizações, tanto a grega como a andina, tanto a egípcia como a sínica. A raça não é importante, sustenta. Embora na sua tábua das vinte e uma civilizações e outras secundárias figurem vinte e cinco como procedentes da raça branca e nove de outras colorações, o que lhe importa é mostrar, na gênese de determinada civilização, a coparticipação de várias raças. Em sua obra a questão de raça e civilização é suplantada pela de racismo e crença na superioridade absoluta de uma raça. Tal crença, diz ele, tem origem no protestantismo inglês: foram os ingleses, ledores do Velho Testamento, os primeiros que se originaram em povo superior aos demais e também os primeiros que descobriram a distância das raças nas suas colônias. Ortega moteja dessa ideia um tanto esdrúxula, que não se compagina com o fato incontestável de que o povo mais racista foi o alemão, que não tinha colônias.

Simpático à raça negra, que não criou, a seu ver, nenhuma civilização, Toynbee não se embaraça por isso: concede-lhe mesmo um crédito de ilimitada confiança, admitindo que talvez a crie dentro de alguns milhares de anos.

Não lhe parece também que o contorno geográfico favorável seja causa do florescimento da civilização. Esta tese, certa, segundo Ortega, poderia ter-se apoiado na ideia de que o homem difere do animal num ponto principalíssimo: a nossa espécie é capaz de habitar em qualquer parte do planeta, enquanto que as demais espécies só podem viver em determinadas partes. A ideia de Toynbee, ao contrário, é a de que o povo estático se faz dinâmico ao produzir-se no contorno uma mudança desfavorável que o provoca e o estimula a comportar-se de maneira diversa. Uma parte dos habitantes reage e responde ao desafio. A ideia de que o contorno desfavorável, não o favorável, gera a civilização agrada a Ortega, tanto, que a enunciou há muitos anos. Não é, porém, uma ideia empírica, senão hipótese, teoria.

Ortega se surpreende de que Toynbee faça dos conceitos "emigração de povos", "Estado universal" e "Religião universal" a coluna vertebral da sua construção, mas não chegue a definir-lhes o conteúdo. E ademais declara que a ideia de repto-resposta, proposta pelo historiólogo inglês, é meramente anedótica, adventícia e ocidental.

Ideia interessante, na verdade, mas que tanto vale negativamente como positivamente, conforme já foi observado por muitos. Isso de que a civilização nasce de uma resposta a uma provocação estimulante importa quando nada em rejeitar as pseudo-explicações da raça e do meio e em não recorrer às ilusórias almas dos povos. Permite, em suma, enxergar na civilização a era da liberdade humana. Tudo pode ser desafio e é impossível conhecer a gênese da livre resposta, da ação autônoma do homem.

Nada, nenhuma crítica impede que se tenha *A Study of History* como uma imponente construção historicista. Aquele que empreende a sua leitura como uma rigorosa análise histórica encontra nela a ficção e, em troca, quem a lê como obra imaginativa nela encontra a História. É o que se pode dizer, repetindo o que o próprio Toynbee disse algures da *Ilíada*, a propósito de História e Mitologia, formas particulares de compreensão.

UM ANTEPASSADO INTELECTUAL

Agrada-me a vida de Heráclito de Éfeso, tal como é contada por Diógenes Laércio. Tudo me agrada na vida desse filósofo: sua modéstia orgulhosa, seu pensamento audaz, seu desprezo pela mediocridade e pelo vulgo, seu desapreço aos cargos e honrarias, sua vida singular e sua morte estranha. Homem sábio, na extensão da palavra, tanto pelas doutrinas como pelos atos, foi um intelectual que jamais comprometeu a inteligência nas agitações e paixões da ágora. Os intelectuais que não querem envolver-se nos negócios da república, a fim de conservarem a liberdade de consciência e a serenidade de opinião, podem considerá-lo como um de seus patronos.

Convidado pelos Efésios a legislar para a cidade, recusou desdenhosamente o convite, por julgar péssimos os costumes políticos dos seus concidadãos. Conta-se que, certa vez, brincava ele na rua com umas crianças, jogando os ganizes, perto dum templo, quando se reuniram em torno dele muitas pessoas curiosas: — *"Que admiração é essa, basbaques?,* perguntou-lhes. *Não é preferível fazer isto a administrar a república convosco?"*

Tornou-se tão misantropo, que se retirou para as montanhas, onde passou a viver de ervas e plantas. Hidrópico, em consequência, talvez, desse regime, voltou à cidade para consultar os médicos, aos quais perguntou, em forma de enigma, se eles poderiam tornar seco um tempo úmido. Como não o entendessem, foi expor-se ao sol e ordenou a uns meninos que o cobrissem todo de esterco, esperando por essa forma secar a hidropisia e curar-se. Não podendo livrar-se do esterco que o cobria, morreu ali mesmo onde se havia sentado e, como ninguém o reconhecesse, foi devorado pelos cães. E uma das versões de sua morte, muito de acordo, em verdade, com a vida singularíssima que levara.

Não era discípulo de ninguém, orientou-se sempre só e aprendeu tudo por si mesmo. Foi, no entanto, entre os grandes pensadores da Grécia um dos que penetraram mais agudamente o mecanismo da existência, e tem sido considerado como o precursor da razão e do pensamento científico moderno.

O Universo, segundo Heráclito, é governado pelo *logos*, por alguma coisa que é ao mesmo tempo a razão e a necessidade. Queria assim dizer que o Universo é governado por um encadeamento racional das leis. Tal é o princípio essencial que lhe cabe ter fixado primeiramente e que constitui na história das ideias o que se denominou "determinismo", fundamento do estudo científico do mundo, tal como os modernos o concebem. As leis que governam o Universo, assim como os seres em geral, excluíam a seu ver a existência dos deuses pessoais, como a Antiguidade os concebia. Os deuses em nada influíam na ordem natural das coisas, sendo inúteis as orações que se lhes dirigiam. Era deísta, mas ao modo de Spinoza, admitindo uma espécie de panteísmo, e, afinal de contas, o que denominava Deus não era senão o conjunto das energias universais. Nada se criara. Tudo sempre fora, era e seria fogo eternamente vivo. Tudo se fazia pelas transformações do fogo, já rarefazendo-se, já adensando-se. O fogo de Heráclito é, evidentemente, a "energia" dos modernos, o que permitiu considerar o filósofo de Éfeso como o criador da Energética e atribuir-lhe a intuição genial da transformação da matéria em energia e da energia em matéria.

Uma das concepções clássicas de Heráclito é a do "retorno eterno", do perpétuo recomeçar, que tem a sua condição física essencial na ideia de energia em contínua transformação. Segundo essa concepção, todos os fenômenos do Universo não têm princípio nem fim: desenvolvem-se consoante um ciclo ou uma série de ciclos em incessante renascimento e repetição.

Outra ideia essencial, unida ao seu nome, aparentemente em contradição com a do "retorno eterno", é a por ele expressada na frase *"ninguém se banha duas vezes no mesmo rio"*, querendo com isso significar que tudo se acha em contínua e perpétua mudança e que as circunstâncias de um fenômeno imutável na aparência nunca são inteiramente as mesmas. Dizia: *"Todos os dias o sol é novo"*. Ou ainda: *"Não se pode tocar duas vezes no mesmo estado uma substância perecedora"*. Esta ideia da não-identidade das coisas e dos fenômenos, em oposição ao "nada há de novo debaixo do sol" do Eclesiástico, trazia no ventre o pensamento da evolução.

A tese da luta universal estava também entre os seus pensamentos nucleares. Via no cosmos a coexistência e a luta incessante dos contrários. A lei das coisas achava-se no movimento, de que o fogo — a energia — era o princípio e o símbolo. Todas as formas da energia provinham de diferenciações, oposições ou tensões entre forças adversas. Só se via a luta no jogo mecânico das forças e o mundo surgia como o produto acidental do choque e da violência. A harmonia não era senão o resultado das diferenças, das oposições, da heterogeneidade, do desnivelamento, dos contrastes e choques. Como pode um jogo de oposições estar em harmonia consigo mesmo? Pense-se na harmonia das tensões opostas, como a do arco e da lira. Os contrários põem-se de acordo, sons diversos combinam-se na mais formosa harmonia, tudo chega à existência pela discórdia e pela necessidade. O Estado, na organização social, é uma espécie de harmonia de oposições naturais, e sua existência funda-se na tensão e no equilíbrio. A igualdade, a nivelação, a ausência de conflito é a morte, a imobilidade. Só o caos é homogêneo.

Sempre me agradou, mais que qualquer outra, essa concepção "naturalista" da vida. Mas o que mais me agrada em Heráclito é o seu feitio de intelectual altivo e esquisitão, para quem a meditação filosófica era a maior das virtudes e a contemplação e o estudo, as únicas paixões. Insociável, desprezador do vulgo profano, era na essência um aristocrata, no melhor sentido da palavra. Dizia: "Um homem só, se é o melhor, vale por dez mil". Desdenhoso da opinião comum, falava pouco e escrevia em forma propositadamente obscura, para que só as pessoas capazes o pudessem ler. A bile, que o atormentava, era provavelmente o principal excitante do seu gênio e determinava-lhe o caráter sobranceiro.

Escreveu um livro enigmático, com frases incompletas e contraditórias. É que não tinha a preocupação de agradar nem fazia caso de discípulos, o que tudo estava de acordo com o seu temperamento áspero e melancólico e o seu caráter presunçoso, mas honesto e profundo. A linguagem fácil e simples e o estilo cristalino são próprios dos temperamentos amáveis e mais ou menos fátuos, que querem ser compreendidos e admirados.

Mas, para ter discípulos, não é preciso procurá-los, e não tem discípulos quem quer, senão quem os merece. O livro de Heráclito, que continha um estudo do Universo e dos fenômenos que nele se produzem, criou-lhe reputação de saber e despertou admirações. Dario, rei dos Persas, desejando que o próprio filósofo grego lhe explicasse as suas doutrinas, convidou-o a que o fosse visitar. O filósofo respondeu com a modéstia e a dignidade próprias do sábio:

"Heráclito de Éfeso saúda o Rei Dario, filho de Histaspes: Todos os que vivem sobre a Terra separam-se da verdade e da conduta justa, e, por causa de sua toleima e sua maldade, abandonam-se ao desejo insaciável e à ambição das honras. Eu, porém, que ignoro a maldade e fujo do fausto sempre unido à inveja, e também porque evito o orgulho, não posso ir ter ao país dos Persas, contente como estou com o pouco que satisfaz os meus gostos".

Os antepassados não se escolhem. Sofrem-se. Cada um de nós pertence a certa linhagem de espíritos, dentro da qual se podem reconhecer alguns parentes mais ou menos próximos, ou temperamentos afins. Aplicando ao caso um velho argumento determinista, o de que tudo o que acontece é o resultado de algum acontecimento anterior, sendo o anterior por sua vez o resultado de outro, até o infinito, — a conclusão que me permito tirar é a de que os meus pensamentos atuais são o resultado determinado do que pensou há um milhão de anos um antepassado meu das cavernas. Ora, na série extensíssima destes antepassados, desde os cavernáculos até os do presente, bem poderia achar-se Heráclito de Éfeso.

Isto explica, talvez, a minha admiração por aquele rabugento cético, legítimo homem de pensamento, que amava o saber pelo saber e buscava a verdade com desapego de sábio, certo de que jamais a encontraria.

COM CIORAN, O METAFÍSICO DA NEGAÇÃO

Que é que me agrada em E.M. Cioran, o escritor rumeno de língua francesa, tido agora na sua pátria intelectual como um estilista sem par? Antes de nada — e sobretudo — a feição de seu espírito, que é, vincadamente, a de um "moralista", bem ao compasso do que há de mais representativo no gênio literário francês: a avisada reflexão moral, junto com a isenção de abusões e preconceitos. Moralista, isto é, um casuísta leigo, ou psicanalista informal, curioso dos equívocos mistérios do espírito, escafandrista dos turvos abismos da alma.

Moralista, digo, à maneira de La Bruyère e Chamfort. Mais da linhagem deste último, por sua filosófica amargura, sua misantropia agressiva, sua náusea pela triste aventura do rebanho humano.

Entenda-se: um Chamfort de nossa época, mais clarividente ou de intuição crítica mais aguda — e, por isso mesmo, mais destrutiva —; época trabalhada e conformada por gênios audazes, como Hegel, Marx e Darwin, Kierkegaard, Freud e Jung, Schopenhauer, Nietzsche, Lênin e Shaw; época que rompeu o cordão umbilical que nos prendia à moral judeu-cristã, já não concebe o homem como criatura de Deus e descrê de santos e heróis.

Três livros de Cioran, *Précis de décomposition*, *La tentation d'exister* e *Syllogismes de l'amertume*, encerram reflexões e aforismos de um pessimismo exorbitante e de uma acritude de condenado injustamente à morte. Neles se misturam o grito de angústia do pré-suicida e a boutade do cético escarninho. A mistura matiza, atenua o tom de cada um, em tal forma que, por vezes, não se sabe o que é grito ou é *boutade*, ou ambas as coisas juntas.

Nenhum misantropo disse tão mal dos seus semelhantes. Leia-se isto:

"Não se pode fugir do desgosto que a frequentação dos homens nos comunica, desgosto pegajento de que não nos curamos nem mesmo com a solidão voluntária." [...] *"Quanto mais frequentamos os homens, mais se enegrecem os nossos pensamentos; e quando, para clareá-los, tornamos a nossa solidão, encontramos a sombra que ali espalharam."*

E este desabafo de repugnância:

"O odor da criatura humana nos põe na pista de uma divindade fétida".

A História — sonho longo, pesado, obscuro da Humanidade — é uma sucessão interminável de crimes, guerras, massacres, vilezas, espoliações, horrores. Não é porém o homem brutal, rico de glóbulos vermelhos, guerreiro, cruel, dominador, com algo do Super-homem de Nietzsche, o que o exaspera. E antes a degeneração desse tipo rude — e ele próprio se inclui na nossa subespécie mofina, atormentada, pusilânime, policiada, encurralada nas cidades modernas. Mas, como quer que seja, "a vida é uma ocupação de inseto".

Um filósofo pessimista do século passado, Hartmann, só admitia um remédio eficaz para as misérias do mundo: o suicídio em massa de toda a Humanidade. Mas, quem quer matar-se? A mais desgraçada das criaturas humanas pede a Deus que lhe conserve a miserável existência.

O mal é vir ao mundo. Porque, como está em Calderón, *"el mayor delito del hombre es haber nacido"*. Culpa de quem? Do Demiurgo? Do pecado original? Culpa do elemento criminoso que propaga a espécie, diz Cioran: *"Le spermatozoide est le bandit à l'état pur."*

Soam os paradoxos — singularmente audazes e incitantes — as suas reflexões sobre a História, a Filosofia, a Literatura, os místicos, a Igreja, os pedagogos, São Paulo, Lutero... Agradam-me os seus paradoxos... verdadeiros. Pelo menos, estão de acordo com a "verdade" que eu admito como boa e não é senão a conformidade com as vistas de meu espírito.

O "intelectual" não lhe merece graça: representa a infelicidade maior, o malogro culminante do *homo sapiens*. Escrever livros? É a perda da inocência, um ato de agressão, uma repetição de nossa queda. Não deixa de ter alguma relação com o pecado original. Publicar suas taras para divertir ou exasperar! Uma barbárie a respeito de nossa intimidade. E uma tentação, Fala com conhecimento de causa. Mas ele, pelo menos — confessa —, tem a desculpa de odiar seus atos, de os praticar sem crer neles.

A propósito: Cioran, autor de alguns dos livros mais fulgurantes aparecidos ultimamente na França, obteve pela publicação de sua obra mais recente, "Histoire et Utopie", os prêmios literários "Sainte-Beuve", "Rivarol" e, por fim, "Combat", mas não quis receber nenhum. Por pudor? Talvez. Ao sair certa vez dum jantar literário, o desdenhoso escritor rumeno "entreviu a urgência dum São Bartolomeu dos homens de letras".

Culpa o Século XIX por ter favorecido a casta pedante dos especialistas de friolentas eruditas, "essas máquinas de ler, essa malformação do espírito que encarna o Professor, – símbolo do declínio duma civilização, do envilecimento do gosto, da supremacia do labor sobre o capricho".

Todo comentário duma obra lhe parece mau ou inútil, porque tudo o que não é direito é nulo. "Outrora, os professores se encarniçavam de preferência na teologia. Tinham, pelo menos, a desculpa de ensinar o absoluto, de se limitarem a Deus, ao passo que, na nossa época, nada escapa a sua competência mortífera."

Simpatiza com os místicos, e em especial com os místicos espanhóis do Siglo de Oro: um Luís de León, um San Juan de la Cruz coroaram uma época de grandes empresas e foram necessariamente contemporâneos da Conquista. Há infantilidade no místico: a de tentar "eliminar as toxinas do tempo para guardar as da eternidade". Equivocam-se, porém, os que pensam que a mística deriva duma debilitação dos instintos, duma seiva comprometida. Longe de serem deficientes, os místicos espanhóis lutaram por sua fé, apropriaram-se do céu. "Sua idolatria do não-querer, da doçura e da passividade defendia-os duma tensão difícil de suportar, contra a história superabundante que neles originava o proselitismo, o poder sobre este mundo e o outro. Para adivinhá-los, imagine-se Fernão Cortês no meio duma geografia invisível."

É duro com São Paulo. Censura-o, e nunca será ele bastantemente censurado, diz, por ter feito do cristianismo uma religião inelegante, de lhe haver introduzido as mais detestáveis tradições do Velho Testamento: a intolerância, a brutalidade, o provincianismo. São Paulo, diz mais, mete-se indiscretamente em coisas que não lhe dizem respeito e das quais nada entende! Suas considerações sobre a virgindade, a abstinência e o casamento são positivamente de entojar. Responsável pelos nossos preconceitos em religião e em moral, fixou as normas da estupidez e multiplicou as restrições que paralisam ainda nossos instintos. Não tem o lirismo, nem o acento elegíaco e cósmico dos antigos profetas, mas o espírito sectário e tudo o que neles era mau gosto, tagarelice, divagação, para o uso dos cidadãos. E ainda: "Examinei de perto as suas famosas Epístolas: nelas não discernireis, em nenhum momento, lassitude e delicadeza, recolhimento e distinção: tudo nelas é furor, histeria, incompreensão."

Lutero? Um São Paulo humanizado. A piedade desse "Rabelais da angústia" é negra! Mesmo a de Pascal, mesmo a de Kierkegaard empalidece diante da sua, diz Cioran: um é por demais escritor, o outro por demais filósofo. Mas ele, Lutero, encouraçado na sua neurastenia de campônio, sempre em luta com o Diabo (que via a seu lado a tentá-lo), possui o instinto necessário para se atracar num corpo-a-corpo com as forças do Bem e do Mal.

Cioran não busca a Verdade, nem mesmo com aquele desapego de seu mestre Nietzsche, que a procurava com a certeza de jamais a encontrar. A Verdade? Dá de ombros, ironicamente, como Pilatos. Nada mais é, palavras suas, que uma tineta de adolescentes, ou um sintoma de senilidade. "Contudo, diz, por um resto de nostalgia, ou por necessidade de escravidão, ainda a procuro, inconscientemente, estupidamente. Um instante de desatenção basta para que eu recaia sob o império do mais antigo, do mais irrisório dos preconceitos."

O pessimismo de Nietzsche era afirmativo, dionisíaco. O de Cioran é o de um psicólogo que escruta o homem como inimigo, e o escruta com declarada malevolência. É o do filósofo que diz "não" a tudo. Negar: não há nada que valha tanto para emancipar o espírito. O Demônio da Dúvida é o nosso melhor confidente.

Mas a própria negação só é fecunda enquanto a conquistamos e apropriamos. Uma vez adquirida, torna-se uma escravidão como as outras. Devemos, em consequência, aprender a pensar contra nossas dúvidas e contra nossas certezas, contra nossos humores oniscientes. Devemos, enfim, consentir no indemonstrável, na ideia de que alguma coisa existe: "O pessimista deve inventar para si cada dia outras razões de existir: é uma vítima do sentido da vida."

Em E. M. Cioran, estilista fora de série, acha-se aquela "elegância da ansiedade", que ele próprio indica no ceticismo, e é isto o que depura e torna asséptica aquela acídia (do gr. *akedeia* pelo lat. *acedia*, ou frouxidão vital, que nele parece encontrar-se e era frequente nos claustros medievais, espécie de *tedium vitae* que acometia os ascetas, mergulhando-os às vezes em profunda depressão moral e fazendo-os sucumbir de melancolia.

O pessimismo é tóxico para muitos. Para outros — para Cioran certamente e para mim — é tônico. É o roborativo necessário para o humano ofício de existir.

Pessimista, Cioran? Não. O pessimista crê que tudo vai mal, por admitir que de outra maneira tudo poderia ir bem: é um otimista pelo avesso. Cioran — esse metafísico do nada, como o denominou Claude Mauriac — não reage mentalmente num sentido nem no outro: vê a vida como uma "aventura no ininteligível".

39

O PESSIMISMO DE SARTRE E CAMUS

A revista suíça *Dialectica*, de Neuchâtel, na edição que consagrou à memória de Elie Gagnebim, publicou um ensaio desse pensador helvético, intitulado *L'absurdité du pessimisme*. Agradou-me o ensaio, apesar do título, que exprime por si só a condenação duma concepção da vida tão legítima — ou tão ambígua — como otimismo. Notava o ensaísta através da leitura de diários e hebdomadários franceses, um estado de espírito que contrastava singularmente com o da imprensa da Suíça romana. Enquanto a costumada gravidade dos sábios suíços revelava, sob espírito amargurado, um otimismo filosófico fundamental, uma segurança bem estabelecida acerca dos princípios da justiça e da verdade e sobre os fundamentos inabaláveis do ser e do espírito, via-se a maior parte dos franceses afirmar, com bom humor, um pessimismo filosófico radical. Isso dizendo, Elie Gagnebim pensava em Malraux, Jean Anouilh, Sartre, Camus. Não foram entretanto os últimos acontecimentos que martirizaram atrozmente a França — frisava-o bem — os responsáveis pela atitude filosófica daqueles e de outros escritores da primeira fila. As conclusões desses escritores, admirados como mestres nos círculos intelectuais da juventude, não se inspiravam em experiências pessoais, na decepção da derrocada pátria, no horror das atrocidades sofridas. Eram extraídas, diretamente e conscientemente, dos filósofos da Alemanha: Heidegger e o "existencialismo", Husserl e a "fenomenologia", Jaspers e Scheler. O grande animador do execrado nacionalismo alemão, Hegel, impôs aos escritores franceses não só a forma de seus raciocínios, como também seu vocabulário.

Poderia ter apontado, também e principalmente, o influxo de Nietzsche e seu pessimismo afirmador da existência. E ademais não era preciso reconhecer unicamente influências de Além-Reno: o pessimismo de um Jean Paul ou de um Albert Camus está, em verdade, dentro da tônica dos moralistas franceses, de La Rochefoucauld a Remy de Gourmont, de Chamfort a Gide, Bernanos e Montherlant. E, de modo geral, continua a linha filosófica dos relativistas céticos do século passado e de princípios do presente. Só que em muitos casos se exprime agora em uma linguagem de pão, pão, queijo, queijo.

As escolas estritamente filosóficas nascidas neste meio século — de Heidegger e seus epígonos — são um impressionante "discurso sobre a ausência de Deus", como já foi dito por alguém. Estas escolas cerraram a porta a toda hipótese teísta. São ateias, não já no sentido tradicional do ateísmo, que negava Deus, muito embora ficasse a pender, em forma negativa, do problema da divindade — réplica duma mesma incógnita metafísica -, mas no sentido radical que corta cerce a questão e a elimina totalmente. Para o existencialismo ateu o problema de Deus carece de sentido. Simplesmente. Os velhos ateus não se desenvencilham inteiramente dos seus laços com a divindade. Os ateus da atualidade estão livres dessa preocupação ancestral: esqueceram-na. E riem-se dos velhos ateus que se comportavam como inimigos de Deus, o que era ainda uma forma de lhe reconhecerem a existência.

Que ficou em lugar da Providência divina e da moral transcendente desalojadas pelo ateísmo radical? Nada. O homem está só, desamparado. Sua liberdade é sem cessar ameaçada. Seus atos não têm sentido claro. Sua própria existência carece de razão num universo hostil. Que orientação tomará a sua vida? Ignora-o. Só se sabe que acabará em pó, como tudo mais. A morte também não tem sentido, além do biológico. Ora, uma vez perdida a ilusão da eternidade, nada mais tem importância. Todos os valores da vida perdem os véus da ilusão. Daí, a angústia. Daí, a náusea como a denomina Sartre, a enorme decepção ante a imagem de nós mesmos, o deprimente mal-estar diante da estranheza do mundo e da inumanidade do homem.

Esta concepção trágica da existência polariza boa parte do pensamento moderno — Filosofia, Letras, Artes, — para os temas negros da ânsia, da solidão, do desespero e da loucura. O existencialismo é a sua expressão filosófica e literária mais atual.

Mas, cabe perguntar, será esforço que a ausência de fé no sentido metafísico da vida conduza ao desespero e à angústia? A própria vida se encarrega de responder. No terreno da pura especulação pode conduzir e tem conduzido ao sentido trágico da existência. Fora daí, a coisa é diversa. Temos de separar kantianamente, a razão pura da razão prática, que não se devem confundir.

Em Paris — leio em um jornal europeu — uma estudante italiana de dezenove anos, escreveu na capa dum livro: *"le cose sono cosi inutili, che io sia riuscita almeno in una cosa che io intrapeso..."* Encaminhou-se ao Sena, pulou o parapeito da ponte de Arcole e atirou-se às águas do rio.

Pela frase que deixou escrita, era talvez discípula de Sartre ou, provavelmente, de Camus.

O mundo é absurdo, declara Camus em *Le mythe de sisyphe*, e a coragem do espírito consiste em reconhecê-lo francamente. Ou antes: o sentimento do absurdo nasce da exigência de clareza e de unidade, que está no centro do espírito humano, em face do mundo estranho e impenetrável. Seu livro abre com estas palavras: "Não há senão um problema verdadeiramente sério: é o suicídio. Julgar que a vida vale ou não vale a pena de ser vivida é responder à questão fundamental da filosofia. O resto... são jogos: antes de nada, é preciso responder. Tudo o que sabemos do homem é que ele existe e deve morrer."

A solução do suicídio é uma demissão, uma covardia. A outra solução fora do suicídio, é a de admitir a imperfeição de nosso espírito em face do universo, e imaginar um Deus onipotente, infinitamente sábio e bom, que nos ama e nos promete a vida eterna se formos bonzinhos e aceitarmos com humilde e fé as vicissitudes deste mundo. Para Camus, esta não é menos desprezível que a outra, é elidir. "Elidir, eis o jogo constante. A elisão mortal, é a esperança. Esperança de outra vida, que é preciso merecer; trapaça dos que vivem, não para o próprio viver, mas por alguma grande ideia que o ultrapassa, sublima, lhe dá um sentido e o trai". A única solução digna do homem é a lucidez e a revolta.

Eu de minha parte não concebo a solução do suicídio, nem a da esperança. A solução — ou o que seja — está para mim na lucidez, sem a revolta. Por que a revolta, e contra o quê? A lucidez, sim. A lucidez de compreender que a vida não precisa de ter sentido especial para ser vivida. Ao invés disso, será tanto melhor vivida quanto mais nos apareça sem sentido. Viver uma experiência, um destino, é aceitá-los plenamente. Não viveremos nosso destino, sabendo-o absurdo, se não fizermos tudo para mantermos diante de nós esse absurdo esclarecido pela consciência.

A condição humana está exatamente representada pelo mito de Sísifo, obrigado a içar eternamente até o alto duma montanha o rochedo que, inevitavelmente, retombará sempre. A aproximação entre o mito de Sísifo e a condição humana não é nova, e sempre me fascinou. Foi dado há muito, por certos moralistas relativistas, o nome de Sisifismo à doutrina de que a ação tem em si mesma o seu sentido ético e completo, e vale mais pela intrínseca substância moral do que pelos frutos que produz ou por qualquer sentido extrínseco, superior, que se lhe queira atribuir. Há uma espécie de redenção do condenado nesta ideia de que a ação é o melhor meio de "enganar a vida", como Sísifo enganou a Morte.

E qual é a paga de toda ação, de toda agitação humana? A resposta acha-se em Goethe: "É o canto que canta a garganta a paga mais gentil para quem canta". O pensamento de Sartre não difere essencialmente do de Camus. Também para Sartre o mundo é absurdo, e os que se embalam com ilusões e esperanças, e encontram pretextos para cerrar os olhos, são os

salauds: é a palavra com que os designa o papa do "existencialismo ateu" francês. E o que nos sugere razões de ser — o inconsciente — é a "má fé". Para terminar estas palavras reveladoras de Sartre, a propósito do livro de Camus: "Não há qualquer motivo para que eu seja fiel, sincero e corajoso. E é precisamente por isso que eu devo mostrar-me tal".
Pessimismo heróico e nada triste. Pessimismo de coloração nietzschiana. Pelo caminho da negação, através de gelos e desertos também se chega à "afirmação dionisíaca", à fórmula do amor *fati*: também se diz sim à vida. A vida é pérfida, cruel, torva e cínica? Não importa. E assim que a queremos viver, não uma vez, mas mil vezes, se fosse possível. Como falava Zaratustra.

RELENDO UM MORALISTA

Meu apetite de leitura é eclético e versátil. Confesso, todavia, certa inclinação (se acaso tenho alguma bem acentuada) pelos *moralistas*, isto é, por aqueles escritores que reflexionam sobre a psicologia prática do viver cotidiano e escrutam a conduta do indivíduo na sociedade. Moralistas, mas não moralizadores. Destes, *io me ne fischio*.

Não é função do moralista (Montaigne, La Bruyère, Gracián, Lichtenberg, Chamfort, o nosso Machado de Assis) louvar ou condenar, guiar ou corrigir. Essa função cabe ao pai, ao pedagogo, ao sacerdote, ao juiz. Um autêntico moralista (no sentido indicado) não se sente obrigado a sentenciar normativamente sobre questões de conduta pública ou privada. As questões existem? Claro que existem, e é até sumamente curioso observá-las, mesmo à distância: "a coisa é divertida e vale a pena", como diz Brás Cubas no seu delírio. Questões gravíssimas, muita vez. Questões, algumas, capazes até de pôr em perigo a sobrevivência do gênero humano. A bomba atômica, por exemplo. Deve-se suprimi-la? O moralista dá de ombros, não por indiferença, mas pela razão primeira de que a questão não depende de seu arbítrio filosófico, e, em seguida, porque para ele é igual, filosoficamente, que a humanidade continue a existir. A quem cabe então a responsabilidade? Ao Demiurgo, se acaso existe.

Como ia dizendo, gosto dos moralistas. São autores que se podem reler a intervalos, em momentos perdidos e aos bocadinhos, uma sentença aqui, um aforismo ali, uma reflexão acolá. Nietzsche, que eu li muito em outros tempos e até o tomei a sério naquilo que Romain Rolland chamou com indignação "uma filosofia de apaches", Nietzsche confessava sua admiração pelos grandes mestres franceses da sentença psicológica: Montaigne, La Rochefoucauld, La Bruyère, Fontenelie, Vauvenargues, Chamfort. Nesses escritores declarava, encontrara mais "ideias verdadeiras" do que em todas as obras de filosofia alemã juntas; ideias, dizia, dessa espécie particular que cria ideias. Em especial, estimava a verve amarga de Chamfort, que na verdade lhe parecia antes italiano do que propriamente francês porque sabia rir do tormento de viver e usava o riso como remédio necessário contra a vida.

Dá-se o caso — e é a razão destas linhas — que estive debicando num volume de máximas e pensamentos, caracteres e anedotas do "mais espiritual dos moralistas". Com esse tipo de intelectual desenganado afina muito naturalmente o meu modo geral de encarar o homem. Mas há outro motivo de simpatia que me torna grato a Chamfort: sua atitude entusiasta pela Revolução que convulsionou a França aristocrática e apodrecida dos Luíses e liquidou o feudalismo absolutista. Assim, unem-se nele em certo momento as duas categorias do "homem de ação" e do "pensador". E o caso de perguntar: não está a ação no começo do próprio pensamento?

Por esse lado, o da participação, o lado da revolta, exigência de toda mudança, Chamfort foi homem de seu século, homem novo. No século da Ilustração começa verdadeiramente o mundo moderno, o da nossa era industrial. E cabe aqui citar as palavras com que Albert Ducrocq, o filósofo francês da Cibernética, abriu o seu volume de *A era dos robots*:

"*Postos de parte aqueles nomes prestigiosos que a História nos apresenta hoje à maneira de faróis solitários na noite dos tempos, o homem não apareceu na Terra senão no Século XVIII: antes o planeta era povoado de crianças.*"

Crianças encantadoras? Se assim o quisermos. "*Crianças ingênuas que viam o universo como uma cena de teatro cujos cenários estavam ao alcance das mãos.*"

No século dos filósofos, Chamfort, explorador da alma humana e conhecedor da multidão, toma posição ao lado dos melhores pensadores do seu tempo que partem em guerra para a destruição da ominosa monarquia por direito divino e a extinção dos abusos e privilégios da nobreza e do clero; aquela monarquia que culminou na falsa grandeza do Rei-Sol (assim chamado pelos cortesãos aduladores), o déspota megalômano que ousou escrever: "*A vontade de Deus determina que quem nasceu súdito obedeça sem refletir*" e os jesuítas disseram com unção: *Amém!* Monarquia de estrondosas pompas palacianas e desoladora miséria do povo, com os campos despovoados, as aldeias abandonadas e a população doente e faminta. Enfim, depois de muitos horrores — "*quase toda a história não é mais do que uma sucessão dos horrores*" diz o nosso moralista — a Grande Revolução leva ao poder a classe burguesa embora não extinga toda a exploração do homem pelo homem.

A Revolução deixara atrás de si uma sequela de violências, destruições e crimes. Podia ter sido de outra maneira? Podia, se os homens fossem razoáveis, isto é, os homens que com justiça devem ceder. Mas não cedem. Nunca.

Fale Chamfort:

"*Os cortesãos e os que viviam dos abusos monstruosos que esmagavam a França estão sem cessar a dizer que se podiam reformar os abusos sem destruir como se destruiu. Teriam querido que se limpassem as coudelarias de Áugias com um espanador*".

Não é o que vemos agora? A revolução social está às nossas portas, ninguém o pode negar; mas nas atuais classes conservadoras (as que teimam em conservar os seus abusivos privilégios) pensam como os feudalistas do Século XVIII: creem que se pode realizar as reformas de base, instantaneamente reclamadas, com soluções paliativas que não destruam as situações privilegiadas de que gozam. Não será porém com um espanador que se removerão as montanhas de lixo. Com um espanadorzinho santamente manejado por um príncipe da Igreja.

Chamfort é duro com a História. Não há história digna de atenção — é uma de suas máximas — senão a dos povos livres. A história dos povos submissos ao despotismo não passa de uma compilação de anedotas. Tal é a seu ver a história da monarquia francesa. "A verdadeira Turquia da Europa — diz ele — era a França. Acha-se em vinte escritores ingleses: — os países despóticos, como a França, e a Turquia..."

Duro com os reis e sacerdotes, duro com os nobres e os ministros:

"*Os reis e os sacerdotes, ao prescreverem a doutrina do suicídio, quiseram assegurar a duração de nossa escravidão. Procuram manter-nos encerrados num calabouço sem saída; semelhantes àquele celerado, no Dante, que mandou emparedar a porta da prisão em que estava cerrado o infeliz Ugolino*".

Reflexão que um neomaltusiano aprovaria. E também esta:

"*É uma desventura para os homens, e uma ventura talvez para os tiranos, que os pobres, os infelizes, não tenham o instinto ou o brio do elefante, que não se reproduz na servidão*".

Duro com as instituições sociais.

"*A maior parte das instituições sociais parece ter por objeto manter o homem numa mediocridade de ideias e de sentimentos que o tornem mais próprio a deixar-se governar*".

Não faltaram partidários aos regimes despóticos, aos denominados absolutismos esclarecidos, alegando-se que tais regimes encorajam as artes e as letras. O fulgor especial do século de Luís XIV como que dava razão aos que pensavam assim. Segundo esses, ironizava Chamfort, o último termo de toda sociedade humana é produzir belas tragédias, belas comédias, etc.

46

São pessoas, aduzia, que perdoam todo o mal que os padres têm feito, considerando que sem os padres não teríamos a comédia de Tartufo.

Foi duro com a situação de sua pátria, duro com o caráter de seus patrícios e duro, acima de tudo, com os homens. Sua misantropia era como a de Rousseau, como todas as misantropias: excesso de amor aos humanos, o avesso rugoso da filantropia. Detestava os homens, dizia um de seus biógrafos porque eles não se amavam, e o sentido de seu caráter estava inteiro na frase que costumava repetir: "Todo homem que aos quarenta anos não é um misantropo nunca amou os homens."

COM JULES RENARD NO SEU CENTENÁRIO

Não sei como a imprensa literária francesa celebrará no correr de fevereiro a data centenária do nascimento de Jules Renard, nascido em 1864 e falecido em 1910. A data é a mais apropriada para se apurar a cotação atual do escritor na caprichosa bolsa de valores literários. Estará em baixa a cotação do pai de *Poil de Carotte*, ou oferece perspectivas de estabilidade ou mesmo de alta?

O autêntico escritor, ou ao menos o ambicioso de glória literária, trabalhará antes de nada para aquela "quimera da posteridade" a que se referiu Voltaire, de quem se imaginava que se matava de trabalhar acima de tudo para ganhar dinheiro. Qual a situação de Jules Renard, autor que já foi dos meus prediletos, perante a quimera com que sonham os grandes da sua marca? É o que nos dirá a imprensa a que aludimos.

Pela qualidade e probidade de sua arte, sem ser um mestre nem representar uma escola, Renard exerceu em seu tempo notória influência, se bem que em um círculo não muito extenso de admiradores. Foi propriamente um escritor de cenáculo, representativo de certa tendência finissecular: a dos literatos que reagiram contra a "literatura" (assim entre aspas, por antífrase), literatura embonecada e *factícia*, de falsa poesia e farfalhuda prosa, eloquente, vaniloquente em um e outro caso. A sua, como disse entendê-la, era "um mister em que é preciso recomeçar sempre a prova de que temos talento para pessoas que não o têm". À chamada *inspiração*, que ele desdenhava (como também a desdenharia Valéry), sobrepunha a observação precisa e a frase justa, nem florida, nem resseca. Artista da prosa, amoroso do estilo, buscava o pormenor, a "trauvaille", o efeito (de que abusava um tanto, até a preciosidade, isto o envelheceu), mas o todo sempre ajustado às ondulações de um espírito cioso da própria originalidade.

Renard sobrevive principalmente por seu *Journal*, notabilíssimo, e por um romance universalmente traduzido que passou ao teatro e depois ao cinema: *Poil de Carotte*, sua obra-prima, história de uma criança infeliz, quase mártir, vítima das incompreensões, injustiças e asperezas de sua própria mãe.

O autor qualificou o livro de *mélange déplaisant*. Sua intenção, ao escrevê-lo segundo o depoimento de Léon Guichard, o mais autorizado intérprete da vida e da obra renardianas, não foi outra senão a de satisfazer o rancor que reprimia contra sua mãe e, de modo especial, contra ela como sogra de sua mulher. Isto por uma parte. Por outra, havia o propósito de não falsificar a verdade sobre a infância. Ficamos aqui a cem léguas da dissaborida literatura em que se poetiza a vida da criança. Não é ainda o *poupon pervers* de Freud, mas é já uma amostra da criança, tal qual é: rebelde, feroz, malfazente. Anjo? Um gato é mais humano. A Senhora Lepic, mãe de Poil de Carotte, é odiosa, mas o menino dá certa razão: é feio, sujo, cruel.

Se as crianças da comum literatura infantil são convencionais, não lhe pareciam menos os campônios e a natureza descritos nos poetas e romancistas a começar nos de cima, Sand, Balzac, Michelet. Exasperado pelas falsificações da gente e do meio rural, que ele conhecia bem, Renard busca expor a verdade em *Crime de village* e *Les colportes*.

Olha o homem como naturalista e não como psicólogo de *boudoir* à maneira de Bourget e outros romancistas de seu tempo. E como viu os animais, que ele, bom misantropo como era, tanto amou? Buffon, na sua *História Natural* classificou-os antropomorficamente em nobres e plebeus, em velhacos e honrados, em tolos e astutos, em altivos e humildes... Renard restabelece a verdade contra Buffon: não os romanceia nem poetiza, observa-os com olhos atentos de caçador de imagens e giza-os com senso de humor.

Já passados os trinta anos, sente-se malogrado como escritor. Nenhum de seus livros chegara à segunda tiragem. Ganhava em média vinte e cinco francos por mês. Se seu lar estava em paz, confessava, era devido a sua mulher, boa como os anjos. No teatro será mais feliz. Em Paris, frequentava as casas de espetáculos, embora não lhe agradasse o que comumente se representava. O êxito rápido, os benefícios mais certos, seduzem o escritor. Faz teatro diferente, sem obedecer ao gosto público. Durante dez anos animado pelo êxito de *Plasir le rompre*, não quer outra coisa e busca evitar, em sucessivas obras, o que ele condenava como crítico. Nada de peças de tese, então em favor, nem de peças de amor, como as que se representavam, umas e outras afastadas da vida. Evita as perpétuas anedotas de alcova. Já não há "cocus" em excesso? Courteline exclama:

"*Os homens de minha geração, eu, Renard, compreendemos que era preciso, enfim, ousar escrever peças sem amor. Que é que temos com isso, se um senhor se deita com uma dama?*"

Era um acérrimo inimigo do clero católico, inimizade que adquirira no próprio lar e se acentuara quando fora prefeito de Clichy, seu vilarejo natal, ao tempo da luta entre o republicanismo laico das autoridades civis e o catolicismo intransigente dos párocos. Um de seus tipos mais vivos é, com efeito, a Senhora Lepic, beata abominável, retrato da própria genitora do escritor e modelo da repulsiva mãe de Poil de Carotte, o ruivinho amofinado que ficou como tipo do menino burguês incompreendido pelos pais.

Tinha em alto grau o espírito da clerezia intelectual, no sentido que lhe deu Julien Benda. Neste sentido foi um clérigo regular, que amou acima de tudo a sua ordem e cedeu o menos que pôde às injunções e seduções do século. Repugnava-lhe o mercantilismo literário. O bom êxito e a notoriedade não o degradavam, como acontece tantas vezes. Era modesto, por excesso de ambição. A suma perfeição da prosa não lhe bastava. *"A perfeição — dizia ele — leva sempre implícita um pouco de mediocridade."* A perfeição, como o aplauso, significavam pouca coisa em face da grandeza e da glória, só atingidas pelos gigantes, um Vitor Hugo, por exemplo, sua maior admiração.

É interessante observar como esse inimigo da eloquência amava com exaltação o mais grandiloquente dos poetas. Renard compreendia o mundo sem Deus, mas não o compreendia sem Hugo. E um dos nomes que mais vezes aparecem no seu Diário, e sempre louvado, sempre enaltecido pelo diarista, em regra irônico e maldizente. Um dia, escreveu: — *"Se me anunciassem a morte de meu pai entre duas estrofes de Hugo, eu diria: "Esperem!"*

Um escritor, como Renard, provinciano tímido e retrátil, neurastênico que se refugiara nas letras por imposição de sua natureza de eremícola, teria forçosamente de deixar um Diário interessantíssimo. As obras que escreveu, em verdade, era uma amplificação em diferentes modos do que constitui a substância do seu Diário. Nelas meteu toda a família e seus anexos - pais, irmãos, mulher, filhos, os serviçais, os animais domésticos. Gostava de se analisar, de anotar as suas reações sentimentais e intelectuais, de expressar os pensamentos mais secretos, e, pessimista, humorista ou mal-humorista (no sentido unamuniano), sorria das misérias próprias e alheias, mas sorrindo com esgares irônicos e o desejo de parecer pior do que realmente era. Exagerava a sinceridade pelo prazer romântico de desagradar. Era-lhe necessário, conforme confessou o *"detestável prazer, quase um remédio, de exercer sobre os outros o meu mau humor".*

De 1887 a 1910, mês e meio antes de sua morte, não deixou de registrar no Diário as reações do humor no momento, suas opiniões sobre homens e fatos do dia, seus juízos, sem indulgência acerca de amigos e confrades, suas reflexões de moralista à Chamfort, suas frases de espírito e principalmente as análises impiedosas de si mesmo, tudo com a mais escrupulosa sinceridade. Diante dele, Rousseau é um cabotino hipócrita. Mais franqueza em confessar-se só se acha na desfaçatez molieresca de Samuel Pepys, ou no cinismo total de Paul Léautaud, esse Diógenes do Século XX.

Publicado primeiro em cinco volumes, muito tempo depois da morte do escritor, seu *Journal* apareceu depois em um volume único, editado por Gallimard. Mas não foi publicado na íntegra, por culpa da viúva, acusada de haver queimado metade do manuscrito. Amigos da família protestaram contra a acusação. Ficou porém provado, após inquérito acerca do caso, que a Senhora Renard tinha posto fogo, não em metade dos cadernos íntimos do marido, mas em nada menos de dois terços! Qual a razão desta fúria destruidora? A razão é que, tendo-se decidido um dia a remexer nos papéis do finado, descobriu, estarrecida, que ele não só a traíra várias vezes, como se referia com toda a franqueza às suas ligações adulterinas. Os nomes das amadas estavam ali, com todas as letras. Colérica, vingativa, queimou então, pelo menos dois terços dos cadernos.

Renard pagou caro o prazer de levar a sinceridade ou o cinismo aos extremos do sublime. Contava talvez que a viúva morresse primeiro? Fosse o que fosse, deu-lhe a lamentável oportunidade de se tornar uma daquelas "viúvas abusivas" da galeria de Monzie. A história literária não perdoa tais atentados. Mas, que outra viúva, no mesmo caso, não se teria vingado do marido que por gabolice confiava aos pósteros algumas frascarices, afinal de contas perdoáveis num defunto?

O HUMOR NEGRO DE PAPINI

Parecem desconcertantes, ao menos a primeira impressão, os avatares por que tem passado o pensamento de Giovani Papini, hoje setentão. Em seu grande livro, nessa legítima obra-prima que é *L'uomo finito*, acha-se a biografia espiritual, o auto-relato de seus acontecimentos internos até a meia idade. Natureza curiosa e apaixonada, ávida de perfeição autodidata das mil frenéticas e desordenadas borracheiras de leituras, já havia ele percorrido até ali, orgulhosamente só e a seu capricho, as sete partidas do mundo "impresso"- o mais maravilhoso dos mundos possíveis — e estava de volta de muitas e muitas aventuras intelectuais. Regressava, porém, desesperançado das suas experiências metafísicas. Que trazia no seu picuá? Um impressionante saber enciclopédico, mas cujo valor, bem examinado afinal, se reduzia a cinzas, a nada. Como todo saber discursivo. E todavia não ambicionara senão isto: um átomo de verdade, um pouco de certeza. Era tudo o que procurava e só para isso vivia, desde menino. Assim o confessou. Batera a todas as portas, fitara interrogadoramente todos os olhos, perguntara a todas as bocas e sondara milhares de corações. Em vão. E assim, experimentando sistemas e escrutando doutrinas, sempre em busca da palavra, do enigma, foi sucessivamente pragmatista, budista, pirrônico, acataléptico, futurista, não-futurista, anticatólico, católico...

Que será neste momento? Naturalmente o que sempre foi: um autocrata misantropo, inclinado à negação e à invectiva, um satírico de mau gênio, agressivo, descontente com tudo e com todos, exceto com os seus próprios dons de escritor, em verdade extraordinários.

Em mais de cinquenta anos de produção escrita, seu tinteiro esteve sempre a transbordar de tinta negra e ácida, esparrinhada de contínuo contra homens e coisas de seu tempo. Assim, sua obra não podia deixar de ser o que é: uma pedra de escândalo fincada no caminho da cultura italiana deste século.

Não poupa ninguém o panfletário das *Stroncature?* É certo. Os seus inigos não o poupam menos e dão-lhe o troco na mesma moeda, Um deles, Paolo Vita-Finzi, referindo-se às "proezas um tanto grosseiras" dos seus panfletos, chamou-lhe "estrondoso destruidor de fantoches e grande abatedor de portas abertas".

Destratou Croce? O grande pensador e crítico revidou friamente, dizendo-lhe poucas e boas. Reconhecia-lhe, como não era para menos, a veia de escritor, a facilidade em usar palavras e formas, aquela tão invejada facilidade de que carecem outros, os quais, embora dotados de cérebro e coração, não chegam a ser escritores senão com muito esforço e ainda que por este meio consigam produzir obras vigorosas e substanciais. Mas à veia do escritor, admirável em Papini, não correspondiam nem a força da mente nem a abundância do sério, meditado e cauto sentir. O autodidata assombroso, o escritor fluente e superabundante não soubera educar-se e vigiar-se severamente porque do contrário não teria escrito tantas páginas demasiadas, senão menos, porém, boas, e talvez melhores do que as poucas que as pessoas de gosto podem agora esquadrinhar nos seus 'demasiados volumes e com alguma reserva elogiar, fazendo-lhe aquela justiça que ele não observa para com os outros. Tudo por causa da hipertrofia do "eu". Estava nele e podia mais do que ele o demônio da vaidade, do exibicionismo e da fantochada. Eis o que inspirava todos os seus escritos, sem excluir a sua pretensa História de Cristo. Em moço e depois de velho, homem da desordem ou da ordem, ateu ou católico, blasfemador ou piedoso, o histrionismo estava sempre presente no seu caráter de escritor público. Isso pensava Croce, que dizia assombrar-se unicamente de uma coisa, e era que Papini, não sendo tolo, continuasse a fazer sempre o mesmo jogo sem se aborrecer, um jogo cujo mecanismo é tão conhecido e tão evidente.

E pelo menos o que acontece aos satíricos e flageladores que não têm o imenso talento de Papini: depois de certo tempo, ou se aborrecem do jogo com que divertiam e escandalizavam a galeria, ou a galeria se cansa do jogo muito visto, e volta-lhes as costas.

O retrato inclemente que Croce gizou de Papini será justo ou não, como quiserem. Preferimos no entanto o que o escritor esboçou de si mesmo nas páginas de *L'uomo finito*. Julgando conhecer-se melhor do que podem fazê-lo os outros, confessou que era "um poeta e um destruidor, um imaginativo e um cético, um lírico e um cínico". Por momentos, um pobre sentimental. Em outros, ao contrário, "um lobo hobbesiano dotado de colmilhos que necessitam morder e dilacerar". Agradava-lhe, então, esmigalhar, roer, ofender, levantar os véus, despojar os cadáveres, arrancar as máscaras. Sem medo, sem pudor, sem respeito a ninguém. Que prazer em perturbar, assustar, ser e parecer feio e mau! Mas logo depois dessa fúria arrasadora, voltava a ser o espírito caprichoso que imagina histórias impossíveis e deforma a realidade para prolongar a vida no sonho: sua repulsão ao mundo tal qual é. *"Permanece, em suma, o homem a não aceita o mundo... Só os imbecis incrustados na própria imbecilidade podem declarar-se sa-tisfeitos com ele"*. Foi o que disse.

E aí temos em poucos traços o misantropo sentimental e injuriador que chega a ser — graças a Deus, diz ele — antipático a tanta gente.

Mas que dons de impertinência e que talento em desagradar e desmoralizar! Sem qualquer dúvida é um dos mestres atuais daquela "*gentle art of making enemies*", tão cara a Swift, Byron, Wilde, Shaw, Baudelaire e outros grandes orgulhosos.

Sua conversão ao catolicismo não parece ter-lhe adoçado o gênio descaroável, nem deu a sua obra criadora uma nova dimensão valiosa. O cristianismo retórico em que se extraviou não era nada convincente. Também não se dirá que seja novo o Papini que aparece em *Il libro nero*, sua última obra. Ao contrário, mostra-se bem próximo da sua fase áurea e primeira, a do satírico escarninho, ora patético ora cínico nas suas negações raivosas. O melhor Papini.

Il libro nero, sabem-nos os que já o leram, é o novo diário de Mr. Gog, o excêntrico personagem criado pela fantasia do escritor, e que em 1930 se tornou célebre ao aparecer o livro a que dava o nome. Neste de agora, como no primeiro, o fictício arquimilionário norte-americano, colecionador maníaco de autógrafos e livros raros, curioso de personalidades ilustres e tipos singulares, anota as surpreendentes conversações por ele mantidas com celebridades das mais representativas de nossa época: Hitler, Molotoff, Marconi, Picasso, Frank Lloyd Wright, Valéry, Huxley, Dalí, García Lorca, além de outras, e também com figuras inteiramente imaginárias. Acham-se ademais no diário peças estupendas da incrível coleção de autógrafos de Mr. Gog: um poema inconcluso de Walt Whitman; um esboço de *Las mocedades de D. Quijote*, de Cervantes; dois cadernos do próprio punho de Leopardi (paradoxalmente otimista nessas páginas); uns versos amorosos de Vitor Hugo, já octogenário; o início de um drama inédito de Unamuno; um esboço, também inédito, de um conto de Kafka; uma historieta, idem de Tólstoi; um fragmento de obra inacabada de Goethe, outro de Kierkegaard e várias outras coisas ainda. Termina a obra, que espanta pelo virtuosismo literário desse mestre insigne de *l'usage de faux*, com os acentos líricos de um poeta, *O paraíso recuperado*, e atribuído a Blake, o poeta visionário.

Páginas como "A Universidade do Homicídio", "O empório das crianças, "Carrascos voluntários", "O pai de cem filhos", "O Congresso dos Panclastas, ou destruidores universais", "Morte aos mortos", são do mais acabado humor negro, à Swift e Quevedo. Mas nem assim, tomado em conjunto, o livro é dos mais acerbos de Papini. Há neste, até, menos intolerância e paixão, mais palpitação humana, que no seu antecessor Gog.

Pessimismo integral, misantropia e misoneísmo são as tônicas desta obra. Não obstante isso, entretém e cativa o leitor com a fantasia paradoxal e lírica e com a beleza de suas páginas. Inimigo do mundo moderno, Papini detesta a civilização ocidental, fundada na riqueza e no progresso técnico. Um de seus "entes de razão" vê por toda a parte a recretinização dos povos de nossa orgulhosa cultura, e aponta, como sintomas e provas, a imprensa semanal ilustrada, o cinema, os desportos, os estupefacientes, os excitantes e os abusos das bebidas alcoólicas, a voga universal das danças primitivas e selvagens, o rádio e, finalmente, a exagerada parte que têm hoje em dia, na vida ocidental, os rapazes, as mulheres e os trabalhadores manuais - os três donos da época —, isto é, aquela porção da humanidade que é menos capaz de profundo e continuado trabalho de reflexão.

Qual a chave do pessimismo papiniano? Só enxergamos uma: a mesma do pessimismo da Igreja. O mundo é triste, feio e mau porque o homem pecou e continua a pecar. A justificação do homem está na santidade. Nisto porém difere da Igreja: o Paraíso continua na terra e o homem perde-o todos os dias. O Éden de que fala a Bíblia — lê-se no suposto poema de Blake — não desapareceu porque Deus é por essência criador e certamente não quis destruir uma de suas obras perfeitas. É preciso pois procurá-lo. Adão e Eva não foram expulsos do jardim das delícias, mas punidos com a cegueira. Seus olhos ofuscados viram espinhos e ervas más onde flores esplendiam, pedras escabrosas, onde faiscavam gemas lindíssimas, hórridos abismos onde existiam vales alegrados pelo sorriso do sol... E assim os homens, pela alteração de sua vista, discernem no Paraíso ora um dolente Purgatório ora um medonho Inferno. Se o homem pudesse readquirir a limpidez de suas pupilas embaciadas e a perfeita virtude dos seus ouvidos, tudo lhe apareceria como verdadeiramente é, como lhe apareceu o primeiro dia, antes do pecado.

O DIÁRIO DE UM RABUGENTO

Está publicado o volume IX (1931-1932) do *Journal littéraire* de Paul Léautaud. Acha-se porém ainda na metade de sua publicação. Esse diário, constituído de apontamentos pacientemente acumulados durante mais de sessenta anos, "trabalho noturno de coruja", como já o classificaram, era a razão de ser do curioso escritor, morto em 1956 aos oitenta e quatro anos de idade. Homem casmurro e esquisitão, de uma franqueza desabrida e de uma independência agressiva, indiscreto até o cinismo, foi justamente considerado o Diógenes das modernas letras francesas.

Antes da morte do diarista e da publicação do primeiro volume do seu diário de que se conheciam entretanto significativos extratos, Maurice Nadeau escreveu estas palavras em "Littérature présente":

"Léautaud não será verdadeiramente conhecido e apreciado senão depois de sua morte, quando houverem aparecido os vinte volumes de seu "Journal littéraire" do qual não passam de fragmentos as crônicas que escreveu. Estamos persuadidos de que nele não se achará matéria de escândalos miseráveis, como no dos Goncourts, nem o homem sairá dessas páginas diminuído, como Jules Renard saiu das do seu, nem dará motivo a que se desconfie dele, como aconteceu com André Gide. O "Chamfort du VIᵉ arrondissement "aparecerá então, seguramente, como um contemporâneo capital".

Já octogenário, Léautaud conquistou momentânea celebridade em sua terra, quando Robert Mallet o levou para a Rádio de Paris. Durante certo tempo, manteve com ele diante de um grande auditório quinze minutos de movimentada palestra diária. A popularidade do escritor, que até ali não tinha nenhuma, foi instantânea, enquanto que, pela mesma ocasião, os *entretiens* com Gide e Colette passavam despercebidos. O êxito foi tanto mais surpreendente, quanto não se firmava na obra do escritor, em verdade escassa e só conhecida de alguns "gourmets" das letras. Por aquele então, a crônica passou a ocupar-se mais frequentemente com as excentricidades, as impertinências, as ironias e *boutades* do velhinho ranheta, que aos oitenta anos ainda era o "enfant terrible" que não pedia meças a Rousseau na insólita sinceridade, nem a Voltaire nos acerados sarcasmos, embora não tenha a garra patente de um nem a agudeza genial do outro. Tinha o dom da malícia, e, um tanto clouwnesco, gostava de rir e fazer rir. Assim, na Rádio, estimulado por Robert Mallet, divertiu o público com opiniões inesperadas, indiscrições, sarcasmos e anedotas ferinas. Num pim-pam-pum certeiro, destruiu ídolos falsos e verdadeiros, com grande regozijo e o aplauso dos que o ouviam.

Léautaud viveu pobremente toda a sua longa existência, agarrado sempre a um modesto emprego, algo assim como amanuense ou secretário menor da conhecida revista *Mercure de France*, que fez época nas letras francesas de princípio do século. Depois do trabalho, à noite, quando regressava ao seu tugúrio nos arredores de Paris, que repartia em promiscuidade com os gatos, cães e outros bichos por ele recolhidos franciscanamente, ia anotando em cadernos e mais cadernos o que presenciara, ouvira pessoalmente ou lhe fora referido por outros durante o dia. Nada escapava ao seu registro: conversações, ocorrências agradáveis, ou lamentáveis, opiniões alheias e próprias, anedotas diz-que-diz-ques, maledicências, e malevolências. E sempre, sempre falando de si mesmo, seus gostos, suas caturrices e implicâncias, suas aspirações, seus amores. *"Parece que é imoral falar de si. Eu, cá, não sei senão falar de mim. Então me ative a isto que me agrada. Desdobrar-se é dom supremo."* (1,45).

Não tinha escrúpulo em referir as suas histórias pessoais, ou de intimidades de sua família nada exemplar, histórias escabrosas e escandalizantes, como há tantas, mas que o decoro manda calar. Na revista em que trabalhava publicou um irreverente *In Memorian*, posteriormente aparecido em livro, surpreendente necrologia de seu pai, com a qual provocou estardalhaço e indignação. Confessou também — outro motivo de escarcéu — ser ele o filho do "ponto" da comédia francesa, sujeito bonitão e mulhereiro, com a cunhada dele, mulher atraente que, pelas tardes, aceitava a companhia momentânea e remunerada de algum transeunte. A mãe abandonou-o, três dias depois de o ter dado ao mundo. Léautaud nunca soube o que teria havido entre ela e seu pai. Ambos gostavam de aventuras amorosas e não haviam sido feitos para a regularidade da vida doméstica. Confiado a uma ama-de-leite, ficou em tal estado de desnutrição ao cabo de um ano e meio, que os médicos disseram. "Esta criança não vinga". Deixava-o dias inteiros com um trapo embebido de leite que lhe metia na boca para engambelá-lo. Ao cabo de meia hora não havia mais trapo. Foi depois confiado a outra, que o tratou como convinha. Aos dois anos, voltou para a casa do pai, ficando aos cuidados de uma criada que, durante dez anos, foi-lhe verdadeira mãe. Todas as noites seu pai entrava com uma mulher diferente, e a criada achou melhor então que o pequeno dormisse em casa dela. Viu a mãe umas oito vezes. em diferentes ocasiões e sempre rapidamente. Eram como estranhos. Da última vez, tinha ele cerca de trinta anos e ela era ainda bonita e mesmo fascinante. Agradou-se do filho e tratou-o com ternura muito feminina, como de mulher para homem, e pouco faltou, não fosse a timidez do filho, que se deitassem juntos.

É o próprio Léautaud que conta essas e outras, complacentemente, com muitas minúcias.

Cresceu misantropo e zoófilo. Tolerava mal o gênero humano, mas afeiçoava-se aos animais, aos quais tratava com afagos que não conhecera na sua infância mofina. Misógino, estava sempre a turrar uma velha amante, libertina e ruim pessoa, a quem ele apelidara "a Pantera" ou "o Flagelo". Lamentava, entanto, que o seu físico de magricela desdentado, a sua aparência desmazelada e a sua timidez o inibissem na presença das belas damas, que ele desejaria amar.

Egotista, como Stendhal (um dos raros a quem admirava), pouco se importava com a sorte dos seus semelhantes, ou com o futuro da sociedade.

"Na verdade, não me sinto afeiçoado a nada nem a ninguém. Penso que o que mais amei, até aqui, verdadeiramente, foi meu gato Boule e Bl..., quando ela não me impacienta, o que é lindamente raro. A família, os amigos, as relações, isto não me diz grande coisa, assim como a simpatia ou a antipatia que se possa ter por mim. Não creio que alguém possa gabar-se com razão de me ter por amigo." (I, 120). A família? Uma convenção, como tantas outras. O civismo, a virtude? Frioleiras. O progresso, a ciência, a moral? Patacoadas. As pátrias? Desaparecerão um dia, ao menos no sentido detestável em que a entendemos agora. O casamento, o patriotismo? O casamento faz maridos cucos; o patriotismo, imbecis. Em uma página, muito viva, de sua colaboração no *Mercure*, a propósito de Jeanne d'Arc, escreveu que os cronistas do tempo ficariam muito surpreendidos se pressentissem o que ela veio a tornar-se. Porque eles a pintavam *"assez galante"*. Mais: escarneceu da santinha de Lisieux, que lhe parecia ter sido *"une assez jolie détraquée"*. E ainda: o túmulo do Soldado desconhecido, instalado no Arco do Triunfo, era um altar elevado à guerra e expressão da cabotinagem patriótica. Para quê? Choveram protestos das pessoas "bem pensantes". Como! Tratar a Donzela de Orléans de *"une fille à soldats"*? Zombar de uma santinha muito venerada e faltar com respeito aos grandes mortos da pátria? Muitos assinantes, indignados, retiraram suas assinaturas do *Mercure*; Léautaud contava com a reação e estava certo de que o tratariam de espírito medíocre, sectário, gênero Homais, etc., etc. Era inevitável. Dava de ombros. *"Eu tive prazer, confesso, em satisfazer meu ódio — devo confessar essa palavra — por tudo o que é religião. Meu*

único pesar é a forma do trecho sobre Jeanne d'Arc e o túmulo do Soldado desconhecido, que não é muito boa. A forma desse trecho não é boa, mas no fundo é excelente, segundo pense." (VI, 57).

Como entendia a forma esse prosador enxuto, a um tempo elegante e sem adorno, dono da mais saborosa prosa francesa? Ao modo de Stendhal, seu modelo: nenhum segredo, apenas a reprodução do visto, ouvido, sentido, vivido, sem empachos retóricos, com o tom justo e na linguagem mais simples e eficaz. Quanto ao conteúdo, em verdade inseparável da forma, queria ser fidedigno, exato, sincero. Era-o, efetivamente? Quando nada, o dom da veracidade transluz das suas páginas.

O verdadeiro escritor, dizia, é o que toma unicamente da vida a matéria de seus escritos. Assim pensando, colocava no primeiro plano as Memórias, as Correspondências, os Diários íntimos, as Autobiografias, etc. Poetas? Um conto de Voltaire continha a seu ver mais substância que toda a obra de Hugo, e o mais belo poema não valia, para o proveito da inteligência, uma máxima de La Rochefoucauld.

Nascera memorialista. E moralista. Sim, sim, um moralista a *rebours*, como a si mesmo se definiu.

O desencantado misantropo, que foi Paul Léautaud, a cujo Diário literário nos referimos, esse grande casmurro, que confessava não crer em nada, nem estimar a ninguém (à exceção de seus bichos), tinha o costume de dizer: *"La posterité, je m'en fous!"*

Sim? Quem poderia crê-los? Léautaud, escritor de reduzida obra e público diminuto, só muito tarde alcançou relativa notoriedade. Não fazia esforços para alcançá-las. *"Escrevo para meu prazer"*, dizia. Para seu prazer, sem dúvida, persuadido, como certamente estava, de que o homem de letras — e ele o era até o sabugo das unhas — deve esperar da atividade escrita, antes de nada, satisfações pessoais. E escrevia, como tantos o fazem, para afugentar os seus fantasmas e também por achar na atividade escrita o meio mais adequado para afirmar a própria personalidade. Tinha da vida certas ideias particulares, anarcoides, que o inclinavam para as quimeras individuais e não para alguma quimera coletiva. Leitores? O orgulhoso Stendhal, seu mestre e seu modelo, contentava-se com cem de boa qualidade. Léautaud não desdenharia um número muitas vezes maior, mas nada fazia para alcançá-lo. Preferia, no seu egocentrismo, encher cadernos e cadernos de apontamentos secretos. Por que teimava, desde os vinte anos, em registrar no seu Diário, meticulosamente, noite após noite, já recolhido ao seu refúgio de urso cavernícola, o que tinha visto, ouvido ou feito durante o dia? E isto com um zelo exemplar, durante os sessenta anos dos oitenta e quatro que viveu. Toda uma longa existência anotada dia a dia em papéis que, impressos, abrangeram vinte volumes, dos quais nove já estão publicados. Não pensava na posteridade? Por que então esse afã secreto, persistente, de escrever o que só seria lido pelos pósteros? Não estava nisso a razão do seu próprio viver? Ou era apenas um exercício de auto dissecação psicológica como medida de higiene mental?

O próprio Barbellion, o mais desesperançado e dolorido dos narcisistas encerrados na casca do egocentrismo, notou no seu *Diário de um homem frustrado: "É duro não ser alguém, mesmo na morte."* E lembre-se que o incréu Léautaud, que jamais conheceu a angústia metafísica, indagou do médico, que o assistia, ao pressentir que as suas horas estavam contadas: *"Se não se pode fazer mais nada, que é que eu me tornarei?"* Algum tempo antes, tinha ele dito a um amigo: *"Nasci de um fenômeno físico. Morrerei de um fenômeno físico."* Era duro pensá-lo: desapareceria completamente. Mas ficaria ainda, de sua pequena obra, pelo menos o *Journal littéraire*, ao lado dos Diários íntimos de Samuel Pepys, Amiel, Goncourts, Jules Renard, Gide... Teria acariciado essa esperança? Mais que provável. Gregório Marañón, falando de Amiel num estudo muito conhecido, assinalou ativamente que a preocupação literária ou histórica existe, em maior ou menor medida, em quase todos os Diários. Com a intenção de resenhar cada momento de nossa existência, aspiramos também a fazer literatura de nossa própria alma, alimentando a vaga ou explícita esperança de que, algum dia, os biógrafos de nossa fama póstuma encontrem aí fontes autênticas e originais. Significa isto que os autores dessa literatura secreta, menos que uma imagem fidedigna de si mesmos, procuram dar uma ideia lisonjeira ou simplesmente interessante de suas personalidades e, julgando-as dignas de atenção, representam uma comédia para si próprios, embora com toda a boa fé.

Não importa. Comediante ou tragediante, o homem é o que interessa principalmente; e, dos seus testemunhos escritos, os Diários, as Correspondências, as Memórias, as Autobiografias, têm o mais alto preço.

Os testemunhos do *Journal littéraire* são preciosos, não só acerca do autor, apelidado alguma vez "o Misantropo do Século XX", como a respeito da variada fauna literária da França da última década do século passado e das cinco primeiras do presente. Que coleção! É uma parada, meio séria e meio burlesca, de sessenta anos de literatura.

Ao começar, Léautaud é empregado — modestíssimo empregado — do *Mercure de France*, a prestigiosa revista de Valette e Remy de Gourmont, reduto dos simbolistas, onde o *défroqué* de Minas Gerais José Severiano de Resende fazia a secção de Letras Brasileiras. Logo, é o declínio dessa plêiade de escritores e a ascensão dos novos, surgidos depois da primeira grande guerra: Apollinaire, Cocteau, Cassou, Duhamel, Benoît... Os acontecimentos da vida literária se mesclam, com os apontamentos pessoais de um originalão, que tinha a magreza e o riso escarninho de Voltaire, vestia-se como um espantalho e escrevia com pena de pato, à luz de vela de estearina. São notações vivas, mordazes, cínicas não raro e às vezes comoventes, como principalmente as que se referem aos seus bichos queridos — gatos e cães, além de outros.

Sua veia zombeteira não poupava ninguém. Por isso muitos dos seus confrades o detestavam, o que verdadeiramente o encantava. Nem mesmo Valette, e o diretor do *Mercure*, seu chefe, em verdade mesquinho e sovina, escapou aos seus golpes ferinos. Não perdoou a Remy de Gourmont, que muito admirava e do qual traçou admirável perfil, o ter escrito a Barrès, durante a guerra de 14, uma carta em que se penitenciava de um artigo da mocidade, *Le Joujou patriotisme*, que lhe havia custado a perda de emprego na Biblioteca Nacional. E censurou os amigos de Gourmont, nos funerais do escritor, por terem colocado à cabeceira de morte uma cruz ladeada de três bandeiras em leque, expondo-se como pio e herói o anti-religioso feroz, o negador, o anti-social.

Impiedosos, os seus juízos sobre os confrades mais ilustres. Anatole France? Um compilador, sem talento original. Bourget, inexistente. Barrès o tipo acabado do carreirista, desprezível por sua atitude no caso Dreyfus e suas asnices patrióticas. Maurras, sátiro e sempre sujo. Colette, a das frases embonecadas, dentro de três anos quem a leria? Pobre Colette!, lamentava o venenoso Léautaud. Fargue roubava livros. Pobre Fargue! E Paul Souday, príncipe da crítica? Escrevia demais, sem tempo para a reflexão, convencido, talvez, da importância da menor linha que escorria da pena: nenhuma vigilância sobre si mesmo, método excelente para se dizerem tolices.

Claudel, Valéry, Mauriac, Giraudoux, Montherlant... ninguém escapava aos motejos. Valéry era seu amigo. Tratou-o, nada obstante, sem contemplações: cabotino, ávido de notoriedade, afoito em tirar o atraso dos muitos anos em que permanecera na penumbra. Valéry, dizia, é o homem do soneto, o Oronte de nosso tempo. Sem qualquer interesse poético. De outros dois amigos: — "*Tudo o que Gide e Duhamel têm de mau vem de Dostoiévski. A literatura de presídio! Duhamel era um bom moço outrora; hoje, sentencioso, solene. E tudo, quer tudo, ser de tudo. Todas as academias!*"

Tinha simpatias e antipatias muito pronunciadas. De vivos e mortos. Tinha horror a Racine e mais ainda a Corneille. Mollière, sim, era outro homem. Detestava Flaubert por seu estilo trabalhado. Não perdoava a Pasteur — esse carola — a dissecção de indefesos animais. Chopin, Liszt, Baudelaire — cabotinos. Péguy — tamanqueiro. Se o encerrassem com alguns livros de sua escolha levaria Chamfort, os dois volumes da *Correspondência* de Stendhal, o *Brûlard*, um volume de Saint-Simon, uma biografia de Voltaire e de La Tour, quatro ou cinco outros que a reflexão lhe aconselharia, bastando para o resto as fantasias que tinha na cabeça.

Suas grandes admirações — homem e obra — era, declaradamente. Voltaire, La Rochefoucauld, Molière, Chamfort, Diderot, Courier e Stendhal. O maior espírito do Século XIX? Renan. Sua inclinação literária de moralista se revela naqueles nomes e mais ainda nesta confissão: *"Minha escolha está feita e a resumirei aqui: eu gostaria mais de ter sido Chamfort que Baudelaire."*

Escrevia bem, Léautaud, escrevia com prazer. Escrever não era só um prazer espiritual, dizia: era também um prazer físico; o ranger da sua pena de pato correndo pelo papel, uma delícia. Confessava: *"Meu verdadeiro gosto literário é a literatura escrita como se escrevem cartas."* E ainda: *"Não faço caso das grandes obras. Só estimo a conversação escrita."* (VI. 34).

Toda a sua obra é em tom de conversa. Homem de pouco comércio humano, deixou escrito: *"Não tenho necessidade de comércio espiritual com ninguém."* Tinha, é claro. Todo o seu Diário é uma longa conversação com hipotéticos leitores futuros, os milhares de leitores que essa obra de muitos tomos, das mais curiosas em seu gênero, terá certamente no correr do tempo.

Era um bom que presumia de mau, Léautaud? Seu amor aos animais diz que sim. Demais, esse mestre do denegrimento, que fechava os olhos a toda grandeza, era um sentimental que por fanfarrice de tímido afetava aborrecer todo sentimento. Uma ferida profunda explica-lhe, talvez, a irônica agressividade: a da mutilação afetiva sofrida na sua infância infeliz.

HUSDON E O CARDEAL

Nascido na Argentina e cuja obra de narrador e naturalista é toda de experiência americana — os pampas, os índios, os gaúchos, a fauna e a flora da terra em que passara a infância e a mocidade — William Henry Hudson estava já na casa dos trinta anos quando embarcou para a Inglaterra, nunca mais voltando à América. Era um argentino, um gaúcho de velho cunho, diziam os que o conheciam bem, e o foi até seu último dia de vida, referem os seus biógrafos. Mas escreveu em inglês, e esse idioma perdeu (opinião de Galsworthy), com a morte do escritor, "sua maior personalidade".

Hudson viveu mais atento à natureza que à literatura, disse um de seus críticos, e era demasiado artista para ser um naturalista científico. Sempre em contato com a natureza, amava os animais e teve paixão pelos pássaros. Desde a infância, seu passeio favorito era acercar-se dos rios e espiar ao entardecer as margens e camalotes tufadas de vegetação, guarida dos grandes pássaros: cegonhas, íbis, garças morenas e garças de deslumbrante brancura, flamingos esguios de corpo branco e rosa. Na Inglaterra, pobre e desconhecido, sentiu-se como exilado e, numa das raras vezes em que escreveu em verso, desabafou a nostalgia do paraíso perdido, lamentando-se no canto do "Pardal de Londres": — *"Cem anos me parecem desde que te perdi, / Mundo maravilhoso dos pássaros amigos!"*

Londres não ignorou totalmente o escritor: erigiu-lhe uma estátua no Hyde Park. Isso não obstante seus livros de ficção: *O Ombu, Terra purpúrea, Lá longe e há muito tempo, Verdes mansões* — contos, narrativas, autobiografia — ainda que considerados altamente por ser valor literário, são talvez menos lidos pelos leitores ingleses no original, do que, em tradução, pelos argentinos ilustrados, que os estimam como de justiça, não só por serem de um narrador de grandes dons, mas principalmente por falarem da terra e da natureza dos pampas, em páginas imortais, e revelarem profundo conhęcimento da vida dos campesinos do Prata, no século passado.

Não vamos porém falar do ficcionista. Nem do folclorista exímio, em que é tido Hudson. Nem do incomparável escritor animalista, que ele foi, autor de páginas, consideradas inesquecíveis, acerca da vida de mamíferos, pássaros e insetos da fauna sul-americana. Nem particularmente, do biógrafo da viscacha (*Lagostomus trichodactylus*, Azara), roedor semelhante à lebre, que infestava o campo argentino, — e a biografia daquele mamífero de rabo de gato e farta bigodeira de pelos eriçados é uma página antológica. Nossa intenção é aludir ao amigo dos pássaros, com os quais chegou a ter um trato íntimo, começado na meninice e mantido em muitos anos de observações e contínuos estudos.

De como a paixão ornitófila influiu em seus juízos e opiniões, citam-se dois exemplos de muita significação. Um é o alto conceito que formava do tirano Rosas. Estimava-o por vários motivos e um deles era de ordem pessoal: acreditava na magnanimidade do homem duro, que no entanto perdoara a um condenado à morte, pelo único mérito de ter ele escrito a história de um bem-te-vi — o bienteveo do Prata —, fato que despertou o interesse e a clemência do Ditador. O outro cifrou-se no seguinte, embora confessasse suas prevenções contra os clérigos de qualquer religião, abria exceção para os frades menores de São Francisco por saber que o Poverello de Assis pregara aos pássaros chamando-lhes — "Minhas irmãs avezinhas".

Hudson contou a história de seu primeiro passarinho de gaiola, que ele ganhara quando tinha oito anos, presente de um pastor protestante de Buenos Aires. O menino não gostava do pastor, homem de severa catadura, mas amou apaixonadamente o pássaro, um cardeal, apanhado ainda filhote no ninho, como acontecia a tantos outros capturados nos bosques da parte superior do Rio da Prata, criado a mão pelos naturais e enviados depois para os aviários da Capital.

O cardeal, até ali, só havia conhecido uma vida de cidade, e de repente, levado para o interior, achou-se pela primeira vez no mundo de verdes pastagens e folhagens, mundo de horizontes azuis e dos mais brilhantes resplendores do sol. Durante o dia, penduravam-lhe a gaiola embaixo da parreira, fora do corredor. Soprava uma aragem fresca e o sol coava-se através das tenras folhas de videira. O passarinho estava como que enlouquecido por excesso de alegria, saltando desatinadamente de um lado para outro da gaiola, respondendo com estrépito ao chamado dos pássaros livres do arvoredo. De tempo em tempo, prorrompia em gorjeios, não de três ou quatro, ou meia dúzia de notas, como habitualmente as emite o cardeal, mas em uma torrente contínua, como as calhandras. Maravilhavam-se os que o ouviam: nunca tinham ouvido um cardeal cantar assim.

Até que um dia os pântanos se desenvolveram formando um toldo verde que os resguardava dos ardores do sol. O teto leve, de folhas agitadas pelo vento, deixava passar, atravessando-as, faiscantes feixes de luz para animá-lo, e mais além das videiras se estendia diante dele um mundo luminoso.

Se alguém, mesmo a pessoa mais sábia, houvesse dito ao menino que o seu cardeal não era o pássaro mais feliz, ele certamente não acreditaria.

Que rude golpe não recebeu quando um dia encontrou a gaiola vazia! Fugira o cardeal. Procurou-o pelo campo, horas e horas. Inteirou-se do seu paradeiro ao ouvir-lhe a firme nota de chamada. Não se deixou porém capturar. Embora sem bastante destreza para voar, saltitava de ramo em ramo, conservando-se à distância. O recurso era esperar que a fome o a-pertasse, sabia o menino. Colocou a gaiola no chão, debaixo das árvores, mantendo-a aberta por meio de um barbante que ao soltá-lo fecharia a portinhola com o passarinho dentro. Agitado e faminto, o cardeal pulou sobre a gaiola — era agora! — mas não entrou, Parecia vacilar muito diante de uma alternativa, que poderia traduzir-se assim: "Devo entrar e satisfazer minha fome, mas viver prisioneiro, ou ficar aqui fora e conservar a liberdade?" Junto da porta examinou o alpiste olhou para o menino, para as árvores, para o imenso céu azul, tornou a contemplar o alimento, levantou e abaixou o topete, moveu as asas e a cauda, visivelmente excitado. Finalmente, com um derradeiro olhar para o alpiste tentador, pulou para o ramo mais próximo, para outro e mais outro, até alcançar o cimo da árvore.

O menino não desistiu. Queria evitar que o passarinho inexperiente fosse atacado pelas ratazanas, corujas, doninhas e outros astutos inimigos. Caçou-o de árvore em árvore, até que saiu para um lugar aberto onde havia uma valeta profunda. Voltou no dia seguinte. O cardeal, que se havia refugiado numa Cova de viscachas, pressentiu o menino e deu-lhe aviso com o claro timbre de uma nota. Aproximou-se, com a plumagem úmida e suja de barro, entrou na gaiola e regalou-se com o alpiste.

Boa lição? Que esperança! O pássaro era outro. Já não cantava. Às bicadas, conseguiu torcer o arame da prisão e tornou a fugir. Muitas e muitas vezes foi encontrado, mas resistia sempre à tentação de voltar para a gaiola. Olhava o menino e saudava-o com uma nota aguda e depois voava para junto dos companheiros alados.

Passaram os dias claros e veio o inverno outra vez. Nunca mais foi visto. Um dia, na primavera, o menino observava os peões duma estância empenhados no combate às ratazanas. Num monte de ervas secas e detritos notou alguma coisa de um reluzente escarlate. Era o topete do seu perdido cardeal! Ao pé dele estavam os restos das asas, do peito e da cauda. Certo, sentindo frio, buscara abrigo no solo e fora agarrado e devorado por uma ratazana.

Seu sentimento foi tão pungente, que jamais o pode esquecer. O querido cardeal fora assim o seu primeiro pássaro engaiolado e também o último. A lição que recebera ficou gravada em seu coração: saber que também para um passarinho o mundo é muito belo e a liberdade um bem precioso.

DO MEU FLOS SANCTORUM

Muitos subscreveriam (e sou um deles) as palavras do historiador e arquivista Daunou: — *"Le mieux est de se mettre à paperasser, c'est encore la meilleur manière d'exister"*. Costumo perder manhãs inteiras na indolente ocupação de remexer em velhos papéis guardados, em arrumar e desarrumar estantes, em folhear livros lidos há muito, em tomar notas de leitura que nunca serão utilizadas, em cuidar que o caruncho, a umidade e o pó não estraguem a livralhada. Esta agradável atividade de preguiçoso tem às vezes uma vantagem, a de nos pôr em renovado contato com obras há muito esquecidas na estante. Foi o que se deu numa destas manhãs. Sinais de caruncho nos dois volumes do meu Amiel, publicados por Bernard Bouvier, levaram-me a percorrê-lo novamente. O caruncho é sempre um indício de que a obra não tem sido manuseada.

Tinha me esquecido quase totalmente daquele que foi um dos santos da minha devoção, faz muitos anos, na juventude, quando não havia rompido ainda a casca do egocentrismo. Eu via em Amiel o representante mais acabado da grande família dos tímidos e abúlicos, que tem o seu tipo extremo em Hamlet, família lamentável e admirável, propensa à introversão, à observação melancólica dos motivos da própria timidez. Tudo encontrava em mim um eco de simpatia: o seu egotismo reconcentrado, a sua *"timidité fabuleuse et bête même"* (como ele a definia, aí, muito menos fabulosa e tola do que a minha!), a sua sensibilidade de *"baromètre souffrant"*, seus penosos esforços para se livrar da tirania dos instintos primários, seu espírito honrado, generoso e desprendido e, enfim, a sua humana mediocridade, lucidamente reconhecida por ele próprio, em forma consoladora para os que, com maioria de razão, também se reconhecem medíocres. E encontrava o eco de aflitiva lástima pela sua luta contra o desejo carnal — espécie de Santo Antão mundano, professor de Estética, calvinista e hipocondríaco, — sua recalcitrante virgindade masculina, renuente às seduções das encantadoras mulheres que o rodeavam e o adoravam, sua decepcionante experiência amorosa total, única, já beirante os quarenta anos, que não se repetiria.

Reli algumas páginas do *Journal intime*, ao acaso. Esse impressionante testamento de um coração e de um pensamento, só comparável às Confissões de Rousseau, foi para mim, em certa época distante, um roborativo da alma, uma medicina do espírito, fundada no princípio do *similia similibus curantur*. Curei-me, efetivamente, mas andando o tempo. O livro de Amiel já não poderia prender-me hoje, como antigamente quando eu me achava ainda em crise aguda de narcisismo. E o "caso Amiel" foi já satisfatoriamente elucidado depois de Medioni, Bopp, Thibaudet e Marañón. Mas tornei a ler, com alguma curiosidade, certas reflexões amielianas sobre a História, a instrução, o progresso, a democracia, o liberalismo, a seriedade germânica e a superficialidade francesa, o sentido da existência, o feminismo, a revolução. Muita ideia velha, enterrada com o Século XIX, e algumas velhas ideias que ainda têm livre trânsito em nosso tempo.

Toda a história humana não parecia a Amiel senão acaso de desordem, um feio drama de tristes atores. História essencialmente zoológica: "A imensa maioria de nossa espécie representa apenas a candidatura à humanidade". As criaturas são pela maior parte mal dotadas, dominadas pela tolice e pela malignidade. A multidão é *la béte aux mille têtes* de La Fontaine. O homem, quanto mais solitário, tanto mais é um verdadeiro homem: à medida que cresce em lucidez e em bondade, tem menos semelhantes; se fosse perfeito, seria um exemplar único. Assim, o excelente produz o vácuo em seu redor e o separa de seu meio, do vulgar, da multidão. A caridade, felizmente, permite-lhe transpor o abismo, e quanto menos os homens merecem a sua complacência e o seu amor, tanto mais a eles se devota. Da própria superioridade tira motivo, não de desdém, mas de apostolado.

A ilusão patriótica não existe para Amiel. Cada nação parece-lhe a caricatura do homem. "*Quanto ao homem nacional* — escreveu —, *eu o tolero e o estudo, não o admiro*". Desaprova a instrução universal e a imprensa por haverem multiplicado prodigiosamente todas as ignorâncias. (E ele não conheceu o rádio e a televisão, esses dois instrumentos formidáveis de *Bourrage de Crâne* e mediocrização em massas compactas). Não acreditava na panaceia da instrução universal, como Renan e como tantos outros antidemagogistas do século passado. Entendia que unicamente no indivíduo altamente cultivado a instrução é um bem, e os semi-instruídos não passavam de macacos inúteis e pretensiosos. A instrução primária obrigatória, invenção da era industrial, dá aos empresários das cidades o operário especializado, o "robot" de que necessitam. Só isso? Não torna mais livre o homem que sabe ler? "*A liberdade da maioria dos homens não difere da do animal: é a de seguir os seus impulsos inconscientes, os seus móveis inconfessados.*" Isto escrevia o professor de Genebra.

Aristocrata (no melhor sentido do termo), detestava a ficção democrática que na Europa, por volta de 1870, havia sido reduzida a zero pela crítica das ideias. Segundo Amiel, o sistema democrático fundava-se no ingênuo pressuposto de que a razão guia as massas populares, quando, na realidade, elas obedecem mais comumente às emoções. Ao contrário, a prudência, a justiça, a razão e a saúde psíquica são casos particulares e o privilégio de algumas almas de escol. A harmonia moral e intelectual, a excelência sob todas as formas, será sempre uma raridade, uma obra-prima excepcional. Enfim, a sua linguagem, neste particular, era a do orgulhoso individualismo burguês de fim do século.

Amiel era um espírito religioso, um tanto bramânico. Sua inteligência crítica desembocava forçosamente no niilismo. Qual a palavra do enigma? Nascer, reproduzir a vida, morrer. Nisso consistem os três grandes momentos biológicos, jurídicos e religiosos. Que é a natureza? É Maia, isto é, *"um fenomenismo incessante, fugitivo e indiferente, a aparição de todos os possíveis, o jogo inesgotável de todas as combinações."* O homem, porém, não pode levantar o véu de Maia, o véu da ilusão individual, e olhar face a face a existência, porque então verá que a felicidade é uma quimera; o progresso, mera ilusão e o aperfeiçoamento, simples miragem. Encontrará o vácuo, nada encontrará. A desilusão total suprimiria a ação, eliminaria a vida. Porque, como se lê no *Fausto*, no princípio era a ação. A lei da vida e a consciência moral o afirmam igualmente. A essa conclusão se agarram os céticos, os relativistas, os existencialistas, os niilistas. Agarram-se todos (e nossa civilização não tem outro sentido) ao ativismo, ao sisifismo, à ação pela ação, como a uma tábua salvadora, a única que pode salvá-los. A filosofia do trabalho, do dever, do esforço, da "práxis",substitui a do fenômeno, do acaso, da indiferença.

ONTEM FAMOSO, HOJE ESQUECIDO

Entre as duas grandes guerras, o livro italiano — tão belamente tipografado — não era raro nas livrarias de São Paulo e do Rio. Por esse tempo pude ler alguns dos mais celebrados narradores peninsulares da hora que passava. Dois dentre os melhores conquistaram então a minha preferência de leitor curioso de *i libri del giorno* Alfredo Panzini e Pirandello. Aludo, é bem de ver, ao Pirandello das *Novelle per un anno* e de *Il fu Mattia Pascal*. Outro prosador, não propriamente ficcionista, chegou a entusiasmar-me, antes da sua conversão ao catolicismo: o Papini panfletário e demolidor das *stroncature* e *buffonate*, o desiludido autor dessa obra-prima que é *Un uomo finito*, estupenda biografia de um exaltado e insatisfeito, ávido de absoluto.

Das grandes literaturas europeias — tem-se dito — é a italiana a mais pobre em romancistas. Pelo menos é o que muitos admitem, e os próprios italianos não o contestam com bastante força.

Como assim? Pode-se contravir. Então Manzoni, Edimundo de Amicis, Verga, Fogazzaro, Grazia Deledda, Italo Svevo, Panzini Tozzi, não foram grandes romancistas? E entre os da geração seguinte, um Moravia, um Corrado Alvaro, um Cicognani, um Vitorini, um Carlo Emilio Gadda e, postumamente, universalmente famoso neste momento, o autor de *Il gattopardo*?

São as exceções que confirmam a regra? Eis o que não poderão dizer os que sustentam a tese de que a língua, o caráter e as tradições da literatura italiana não se adaptam bem ao gênero do romance.

Giovani Papini, depois de outros, tocando nesse tema crítico, afirmou que a língua de Dante não se presta ao romance, à sutil composição das narrativas romanceadas. Por outra parte, dizia que a literatura italiana não é uma literatura mundana, de sociedade, e sim de meditação individual e de expansão lírica. Seus prosadores inclinam-se para os fragmentos descritivos, líricos ou psicológicos, vasados comumente numa forma impecável. De acordo com os dessa opinião, a estética do fragmento e a estilização excessiva teriam prejudicado as tentativas de romance, feitas pelas últimas gerações. Cabe discordar desse modo de ver, que era aproximadamente o do crítico francês Benjamim Crémieux, no seu *Panorama de la littérature italienne contemporaine*, obra de 1928.

A Itália é mais rica talvez em gênios literários e talentos de primeira ordem que qualquer outro país da Europa, dizia Crémieux. Qual o motivo então por que os grandes escritores italianos raramente encontram no mundo a larga audiência que merecem? o motivo, explica Crémieux, é que o classicismo da grande literatura italiana, longe de ser universal, tornou-a, em combinação com o seu nacionalismo estrito, uma das literaturas mais fechadas e, consoante a expressão em moda há muito na Itália, uma das mais intraduzíveis que se conhecem.

A alegação é aceitável, até certo ponto. Convenha-se em que os escritores italianos se preocupam grandemente com a qualidade literária, sendo que às vezes os próprios narradores cuidam mais dos ornamentos culturais e da excelência do estilo que propriamente da construção imaginativa. E tudo porque a língua italiana (como a espanhola e a portuguesa) é rica em efeitos estéticos espontâneos. Tais efeitos - vigor, energia, sonoridade, relevo de expressão pitoresco — perdem-se naturalmente na tradução a outros idiomas.

Conceda-se. Mais difícil porém é admitir que os ficcionistas italianos padecem de certa inaptidão para escrever romances, segundo os grandes moldes, nos quais a vida parece circular através da narrativa e palpitar no coração dos personagens. Tais moldes, em verdade, não se definem satisfatoriamente. Não há o *romance*, mas romancistas, e as formas romanescas têm dado muitas voltas. Sua última revolução é a do chamado "romance novo" (ou "anti-romance", como também o denominam), experimento francês, sem dinamismo nem movimento, sem enredo e até sem personagens, "licenciado do universo", produto em que as qualidades artísticas, primacialmente literárias, se sobrepõem às elementares virtudes de leitura, entendida esta, antes de nada como distração. Ora bem, a língua de Dante — quiçá aquele *"gergo convencional"*, pretendido por certa crítica dantista — é provavelmente a mais artística, a mais literária das grandes línguas escritas. Logo...

Chego a esta altura do artigo e verifico que me perdi numa digressão. Minha intenção era outra, a de recordar Alfredo Panzini no ano centenário de seu nascimento.

Quando Benjamim Crémieux começou a interessar-se pelas letras italianas, lá pela segunda década do presente século, entrou-lhe o desejo (ele mesmo conta) de "descobrir" na Itália um romancista desconhecido na França a fim de o "lançar" entre os seus patrícios. Sem vacilar muito, escolheu Pirandello, que o havia conquistado com as novelas compactas que publicava no *Corriere della Sera* e, sobretudo, o seduzira com o seu romance *Il fu Mattia Pascal*. De tal projeto procuraram dissuadi-lo alguns jovens escritores italianos de seu conhecimento. Traduzir e divulgar Pirandello no estrangeiro parecia-lhes uma simples escolha errada. Pirandello carecia de arte, escrevia mal, era um simples "fabricante". Se desejava indicar ao público francês um escritor desconhecido, diziam-lhe, escolhesse então Alfredo Panzini.

"*Eu tinha lido Panzini, porém ele me parecia, como me parece ainda, um escritor especificamente italiano, intraduzível, por conseguinte*".

Estas palavras escreveu-as o crítico francês em 1937. No ano anterior falecera Pirandello, por ele "descoberto" em hora singularmente inspirada, e cuja obra teatral esplendia em todo o mundo, alcançando uma glória sem contraste. Dois anos depois, em 39, desaparecia Panzini e logo se esquecia sua obra.

Injustamente? Com justiça ou não, o esquecimento rápido é o quinhão que toca à maior parte das celebridades literárias do dia. Resta-lhes, no melhor dos casos, um lugar na história das letras. Panzini tem o seu lugar na História e será provavelmente lembrado como merece nesta efeméride do seu centenário. Foi em seu tempo um dos escritores mais representativos da literatura italiana entre os que só são conhecidos no estrangeiro por aqueles que os podem ler no original. E como tal o li e estimei.

Formado no clima moral e espiritual do Século XIX — época de decadência política e "decadentismo" literário, na Itália —, era Panzini um sentimental desiludido e amargo, com certa visão pessimista e anti-heroica da vida.

Suas obras, todas ou quase todas de feição assinaladamente bibliográfica, compunham-se de reflexões e observações pessoais sobre homens e coisas. Por esse lado justamente me agradavam. São obras dum moralista, meio lírico e meio satírico, das quais poreja alguma coisa que poderia chamar-se a "filosofia panziana", feita de tolerância, caturrice e resignação. Como no francês Jules Renard ou no brasileiro Machado de Assis, achava-se no italiano Panzini o mesmo humorismo consciente, regido por aquela lei da ironia que leva o homem a zombar das próprias imperfeições. Essa arte deliberadamente voltada para o *humour*, influiu em muitíssimos escritores do período imediatamente anterior ou posterior à primeira Grande Guerra.

O *humour* panziniano, ácido e brincalhão, mostrava-se logo no título de algumas das suas obras. Uma intitulava-se *Viagem dum pobre literato*; outra, *O diabo na minha biblioteca*; outra, *Jasmim, bobo do rei;* ou então *A pucela sem pucelagem*.

O mundo é redondo, Novelas de ambos os sexos. Em outras, como *Xantipa*, denunciava-se desde o título a sua misoginia acrimoniosa, ranço da influência de Strindberg, Schopenhauer e Nietzsche. No seu interessante *Dicionário moderno das palavras que não se encontram em outros di-*

cionários Panzini é o humorista educado na escola de Carducci: conservava, por baixo da casca dourada do moderno, o boa polpa clássica. Era um erudito e tradicionalista, respeitoso das virtudes do passado e convencido de que só existia um mundo tolerável para os homens da sua espécie: o da literatura e dos livros.

Panzini só conquistou o público ledor já em plena maturidade, após a publicação do livro que lhe deu nome, *A lanterna de Diógenes*, seu melhor livro. Começou então a produzir com intensidade. Jornais e revistas passaram a disputar-lhe a colaboração. Submeteu-se à corveia do jornalismo literário, cuja marca de trabalho forçado se encontra em toda a literatura italiana de nosso tempo. As tarefas fictícias desse tipo de jornalismo teriam prejudicado, na opinião de alguns dos seus admiradores, o completo desenvolvimento de um dos talentos mais pessoais entre os maiores da sua geração.

COM ANTERO, REFORMISTA SOCIAL

Crente nato, alma de asceta, profundamente moral, Antero de Quental perdeu cedo a fé católica, que era nele muito viva, segundo a opinião dos seus biógrafos. Perdeu-a, mas logo encontrou outra. Perdeu-a quando iniciava sua vida acadêmica em Coimbra, ao contato do espírito novo que contagiava a mocidade estudiosa. Soprava ali, vindo através dos Pirineus, um vento de reformismo social e político lastimáveis, marasmático, obscurantista, estranho às grandes preocupações do tempo. Só os moços mais inquietos, atentos aos fatos vitais da humanidade civilizada e descontentes com a inércia da classe dominante, ambicionavam ligar Portugal ao movimento moderno de transformação social, moral e política, que se observava na parte mais progressista da Europa. Do seio dessa mocidade rebelde e audaz sairia a mais notável floração de talentos já surgida em terra lusa. A essa geração de fervilhante imaginação, formada no tumulto mental de novas formas e ideias, novos sentimentos e interesses, pertenceu Antero, a quem Eça de Queiroz chamou o Príncipe da Mocidade. Outros, entre os melhores da mesma geração, reuniram-se num grupo que eles mesmos denominaram os Vencidos da Vida.

Não eram vencidos, claro. Não o foram. A incomparável plêiade de intelectuais triunfou, por fim, concorrendo para o derrubamento da carcomida monarquia portuguesa e a instauração duma república adiantada, de coloração positivista. Provou mal a república? Atolou-se num atascadeiro de agitações, crises, embustes, corrupção, conflitos de poder e as mil dificuldades de governar? Era esse o quadro da república ideal com que sonhava aquela geração privilegiada? Certamente não era. E daí? Não é isso, afinal, a vida pública num regime de liberdade? Agora há sossego.

Há trinta e sete anos, com efeito, não se ouve em Portugal o rumor de nenhuma agitação, o eco de nenhum conflito. Agora ninguém pia. Reina a paz imposta. Em vez da liberdade - o guante duro do Ditador. Mas os tiranos passam e o anseio de liberdade é eterno no coração dos homens.

Ao tempo de Antero, chegavam a Coimbra, via Paris, as novidades literárias e filosóficas da França e da Alemanha. Lia-se Goethe, Heine, Hegel (através de traduções francesas), Michelet, Quinet, Taine, Renan e Proudhon. E também Bakunine e Stirner. Começava-se a ler Darwin e Haeckel. Mais tarde, Comte. "*Mas a nossa descoberta suprema foi a Humanidade*", diz o Eça das *Notas Contemporâneas*: "*Coimbra de repente, teve a visão e a consciência adorável da Humanidade.*" Foi esse o novo culto que conquistou o espírito religioso de Antero. Revoltado com as injustiças da organização social, defensor dos humildes, solidário com o sofrimento das classes pobres, trocou a religião que acenava com a reparação no outro mundo por outra que a colocava neste - o socialismo. A doutrina o seduzia pela sua feição essencialmente moral, convencido, como estava, de que só a moral libertaria o homem.

Proudhon foi o seu mestre, como também o era de todos os socialistas utópicos portugueses da geração de 1870. Antero, Ramalho, Eça de Queiroz, João Grave, Guerra Junqueiro, Oliveira Martins e outros estavam impregnados de idealismo filosófico e do utopismo reformador de Proudhon. E no entanto, como o assinalou Victor de Sá no seu opúsculo *Amorim Viana e Proudhon* extraviado em ideologias já arquivadas à época. Ninguém lera Marx, que refutara Proudhon em 1847. Ignorava-se a obra de Marx e nem ao menos se conhecia Amorim Viana, o socialista português que, em 1852, analisou numa revista do Porto as contradições do socialismo utópico. Mas também esse pensador não conhecera a obra de Marx, segundo crê o citado autor.

Em obra recente, *Antero de Quental* (Braga, 1963), Victor de Sá consagra mais de três centenas de páginas ao pensamento sociológico anteriano, examinando-o desde os fervores religionários da mocidade até as decepções que lhe trouxeram na idade madura as suas aspirações de reformação da sociedade. Nota-lhe, antes de nada, a sedutora personalidade, "*o maravilhoso de sua vida de cavaleiro da esperança*", o espetaculador dos seus acidentes biográficos, o dramático desfecho de sua vida. Em sua parte principal e mais extensa, a obra não se ocupa senão incidentalmente com o poeta propriamente dito. Incide, sim, sobre os temas básicos do seu ideário sociológico cuja dilucidação parece ao autor necessária e conveniente "para nos ajudar a sair dos imbróglios metafísicos em que, há um século, anda enredado entre nós o pensamento Antero nos conflitos econômicos, sociais e ideológicos da sua época".

Eram gerais então, em toda a Europa, os anelos de renovação de liberdade, em consonância com o liberalismo triunfante e as combativas — e combatidas — doutrinas do socialismo, em transe de passarem de utópicas a científicas. Em Portugal, instala-se parasitariamente na vida nacional uma aristocracia de conteúdo latifundiário e financeiro. Proclama-se a Ordem como ideal social fundamental. Tal qual ainda agora acontece. Os ideais malogrados de liberalismo, as instituições desvirtuadas, a postergação das reformas necessárias, a corrupção administrativa e a consequente desmoralização da elite do poder, tudo, tudo inclinava o novo tipo de intelectuais a abraçar e propagar as doutrinas idealistas de reforma social. Por esse tempo, como disse um deles, *"Fourier apareceu como precursor, Proudhon como um apóstolo"*. A partir de certa data, os socialistas portugueses estão encharcados de Proudhon, em razão principalmente do magistério que Antero exerce sobre a sua geração. E isto não foi bom. Considere-se, como o faz Victor de Sá, que a vigência do Proudhonismo se fez sentir lá, efetiva e predominante, até o final do primeiro quartel do nosso século. Portanto, "mais de meio século de prejuízo na adoção do pensamento social moderno em Portugal".

O autor que estamos citando põe em confronto o pensamento de Antero com o de Proudhon. O ideólogo português, diz, é a tradução viva do francês. As contradições sucessivas e as frustrações deste aparecem capitalizadas naquele — individualidade superior, mas contraditória e frustrada a tantos respeitos.

Antero não foi marxista. Seu idealismo filosófico (mais próprio da mentalidade pequeno-burguesa) opunha-se ao materialismo dialético. Os fatos, assim o entendia, encontrariam soluções no campo das ideias, e não ao contrário: *"os fatos vão seguindo, par e passo, o desenvolvimento das doutrinas"*. Defendia soluções "conciliadoras" entre as teses opostas, exatamente ao contrário do método marxista. Proclamou-se estóico e espiritualista e todas as suas reflexões concluíram pela apologia da Renúncia. Do marxismo não teve senão um conhecimento superficial como pôde asseverar um dos estudiosos de seu pensamento. Desenganado da ação revolucionária, mostrou-se contrário à luta de classes, à greve e à ideia da ditadura do proletariado. Repudiou as conclusões do Congresso de Haia, que acentuavam o caráter de ação imediata e positiva do socialismo na luta pela emancipação proletária. Manteve-se, até o fim, afastado da luta política, hostil a toda atividade partidária. Só pela moral, pensava como Proudhon, o mundo seria libertado e salvo.

Como? Podia um intelectual militante, um socialista, mesmo da Igreja de Proudhon, abster-se da ação pública? Seu misticismo visceral, seu idealismo haurido incompletamente em Hegel, e mais ainda a sistematização contraditória dos seus conceitos filosóficos, só podiam resolver-se na prática social, na "práxis", pois que os próprios conceitos dos filósofos saem da "práxis" e nela se fundam. Não era seu propósito reformar a sociedade? Metera-se num beco sem saída, chegara a uma situação insustentável para um espírito honesto, como era o seu. Sentiu-se frustrado.

Não se sabe se a fuga no niilismo foi o efeito da morbidez física de que padecia, ou se um sentimento malsão de derrota teria determinado o seu isolamento de anacoreta.

Vencido pelo pessimismo, sentia-se atacado da "náusea da realidade", numa crise parecida com a do Roquetin de Sartre. Logo, é o suicídio.

O suicídio, diz Victor de Sá no excelente livro que lhe dedicou, *"era a exaltação triunfante da Renúncia"*. Bem dito. Mas Antero, moço ainda, em Paris, num momento de desgaste nervoso, consultara o famoso Dr. Charcot que lhe diagnosticara: histeria.

O grande poeta pertencia à admirável e lamentável família dos nervosos, sal da terra, a que se referiu Proust. Pertencia à família dos desesperados que se matam para fugirem a sofrimentos morais insuportáveis: Kleist, Larra, Camilo, Pompeia, Pavese...

COM "JUANA DE AMÉRICA"

Permitimo-nos afirmar, sem temor, que o ensaio crítico de Maria José de Queiroz, *A poesia de Juana de Ibarbourou*, é o trabalho mais minudente que já se escreveu até o momento sobre a obra da grande poetisa uruguaia. A copiosa bibliografia a ela referente, citada no mencionado ensaio, demonstra o que afirmamos.

Não se trata apenas de um trabalho minudente. A jovem autora, que hora rege a cátedra de Literatura Hispano-Americana da Faculdade de Filosofia da U.M.G., penetrou com segura informação e apurado senso crítico nos meandros da obra que se dispôs a examinar. Assediou-a com amor e rigor, assenhoreou-se dela com método e explorou-lhe com acuidade as zonas mais recônditas.

Ao empreender o delicado tentame, não se apoiou unicamente nas muletas patenteadas de um tipo definido de crítica — o que em verdade acontece a qualquer intérprete crítico, ainda o mais aferrado a determinado sistema, o mais das vezes, ilusório. Serviu-se de mais um tipo de exegese, o histórico, o psicológico, o temático e o estilístico, e usou principalmente aquele gosto que implica variedade, cultura e possibilidade de comparar. Dessa exploração em diferentes rumos, em busca de algo aéreo, sutil e metafísico, como é a criação poética, recompôs a trajetória lírica de Juana de Ibarbourou e rastreou pelo caminho a riqueza e a pureza de seu canto.

Juana de América, como mereceu que a denominassem em 1929, integrou o coro de grandes vozes femininas que se distinguiram na América Latina por "uma nova espécie de romantismo exaltado", conforme a expressão de Pedro Henriques Ureña. Compunham o extraordinário grupo as uruguaias Marla Eugênia Vaz Ferreira, Delmira Agustini e Juana de Ibarbourou, a argentina Alfonsina Storni, a chilena Gabriela Mistral e a brasileira Gilka Machado. Esta última e Juana são as únicas sobreviventes do grupo.

Charles Maurras, em *L'Avenir de l'Intelligence*, havia já denominado "romantismo feminino" a certo tipo de poesia que nos primeiros anos do século surgiu em França, representado por Renée Vivien, Lucie Delarue-Mardrus, Gérard d' Houville, Anne de Noailles, outras ainda, as quais ousaram desnudar a parte mais secreta da alma feminina e falaram de amor com uma franqueza nunca vista. Ocupando-se com esse fato literário, pôde dizer Jean Larnac, nestas palavras citadas por Maria José de Queiroz: "O Romantismo de 1930 tinha libertado o coração das mulheres, o de 1900 libertou-lhes os sentidos.

O influxo dessa geração de poetas, dentro da mesma linha de força, logo se fez sentir na América como era fatal. Recorde-se o que foi a estreia triunfal de Gilka Machado, em 1915, com os versos audazes de *Cristais Partidos,* seguidos, pouco depois, dos de *Estados de Alma* e *Mulher Nua.* A poetisa, então com 22 anos e muito bela, tratava do amor humano em forma pessoal e arrojada. Proclamava a sua vontade de aceitar com alegria os ímpetos da própria natureza e os dados dos seus sentidos. Declarava, sem circunlóquios: "Sinto que nasci para o pecado".

A crítica, deslumbrada, saudou-a como uma grande artista. Os fariseus da moralidade protestaram, escandalizados. O cáustico panfletário Antônio Torres tratou-a de "poetisa truculenta" e "furiosa *bas-bleu*!" Em boa verdade não era a bacante dos trópicos, como a denominou um crítico, aliás favorável, nem nenhuma *bas-bleu,* como a destratara o *défroqué* Torres, com a sua *misoginia* cheirando a sarro de sacristia. Era, sabia-se, exemplar esposa e mãe e dona-de-casa *três popote.* Hoje nos parecem inocentes as audácias ao jeito de Rénée Vivien e Lucie Delarue-Mardrus, e Gilka Machado pode ser incluída, sem perigo para a virtude, numa Biblioteca das Onze Mil Virgens. Está esquecida, como a quase totalidade dos poetas do nosso Pré-Modernismo (entre os quais Antônio Torres), por causa das reviravoltas do gosto, que tornou fora de uso os hábitos poéticos tradicionais.

Alguns anos antes de Gilka, a malograda poetisa uruguaia Delmira Agustini, sendo ainda muito jovem, cantou o amor sensual e o gozo dos sentidos, com uma força e uma audácia que a muitos desconcertou pelo ímpeto com que rompia o pudor secular imposto à voz feminina. "*Soy una bacante*", dizia, e falava com orgulho de "*la flor ardiente de mi cuerpo*". Sua influência foi considerável nas letras do Rio da Prata, e Maria José de Queiroz, logo na primeira parte do seu ensaio, não deixa de notar essa influência ao referir-se às figuras mais relevantes da poesia rio-platense — a mencionada Delmira Alfonsina Storni e Juana de Ibarbourou —, unidas dentro de uma determinada época do processo intelectual hispano-americano. Assinala aí que o fulcro de toda cristalização emotiva, em todas as três, é o amor dos sentidos, como foi cantado, primeiramente, com veemência e fibra a bem dizer viril, por Delmira. Todas, à parte o quociente de individualidade e a personalíssima elaboração temática de cada uma, tornando evidente a distância que as separa, encontraram um denominador comum — o da concepção pagã da ideia amorosa.

A fonte é comum, reconhece-o a autora a que estamos aludindo, feitas no entanto as distinções oportunas que permitem aquilatar a autenticidade e intensidade da experiência poética de cada uma delas. Alfonsina Storni, a insatisfeita, busca explicações para o obscuro sentido da própria existência, e toda tentativa de alcançar o amor acaba para ela em tormento e derrota. Fica-lhe a certeza amarga da sua frustração e o desprezo pelo homem, ídolo desejado e aborrecido. Para Delmira, o amor é trágico e se assemelha à morte: cada experiência amorosa é única e seu rito tem muito de funéreo. Dolorosa entrega, no caso de Alfonsina; frenesi carnal, no de Delmira. E para Juana? Para ela não há tormento no seu papel carnal de mulher. O erotismo, nela, é contentamento puro e simples dos sentidos. Significa juventude e beleza, participação sensorial na obra da natureza. Falando do seu fascinante impudor, Unamuno preferiu denominá-lo castíssima nudez espiritual.

Delmira e Agustini tiveram fim trágico, ambas. Delmira morreu assassinada pelo marido, que se matou em seguida. Tinha 28 anos. Alfonsina atirou-se no mar, como Safo, não por desenganos de amor, mas por saber-se mortalmente doente. Juana teve muitas alegrias; fruiu muitos prazeres, foi amada e festejada, satisfez, quem sabe?, todas as fomes e todas as sedes que os seus sentidos exigiam com ânsia. Foi bela e enamorou-se, narcisicamente, da própria beleza. A natureza, porém, dá e toma. Dá generosamente, às vezes, e toma sem piedade, sempre. A natureza, tão amada por ela e na qual se sentia inserida como a flor na planta, fê-la murchar. Tomou-lhe a juventude, a beleza, a intensidade dos sentidos, o prazer vivíssimo de se mirar em todos os espelhos. Chegara a vez de dizer, como na litania dos trapenses: "Hermana, de envejecer tenemos!" Soara o momento de abandonar a garridice feminina e pegar do rosário e do eucológio. "Ahora, la mano que sostiene el libro / De horas no provoca el beso." Só resta recordar o mais grato do passado, construir na lembrança o próprio mausoléu.

As quatro partes em que se divide a obra de Maria José de Queiroz — a do momento literário ou situação em que surgiu a poesia de Juana; a das fontes, encontros e influências: a dos temas e, enfim, a da linguagem —, foram aladas com atilado critério de investigação, cujo objetivo não era, evidentemente, o de explicar a obra pela autora, nem a autora pela obra, mas o de aproximar-se de uma interpretação totalitária como experiência vivida. As que se referem aos temas e à linguagem são de maior validez crítica.

O amor, tema vital, assinalado como dominante, na poesia de Juana de Ibarbourou, manifesta-se em três fixações: natureza, vida, o próprio Eu. Não há novidade nisso, é claro, e o mesmo se achava na Condessa de Noallis (que teria influído em Juana), em Madame Gérard d'Houville e outras poetisas da mesma sensibilidade. E daí? É o tom o que faz a canção, e o tom de Juana é inconfundível, como o de todo poeta digno desse nome. O tom é dado por algo muito pessoal, belo e intransferível, que decorre da estrutura anímica do artista criador e sua experiência existencial.

Não é longa a parte dedicada à linguagem do poeta, mas acertada, e a sua brevidade tem o mérito de poupar ao leitor o enfado das longas dissertações eruditas desse tipo.

Que resta da esplêndida glória de Juana de América, nascida em 1895? Não é mais, há muito, aquela morena satiresa, que na juventude fascinava com a beleza de seus dons físicos e a ousada gentileza do seu canto. Mas ainda agora não se ergueu voz mais alta na poesia da América Hispana. "Vive ela em Montevidéu, entregue à lembrança do "tempo perdido", acabrunhada diante do tempo que a pouco e pouco lhe destrói a beleza de que tanto se orgulhava. E a perda da beleza entristece-a. A tal ponto que se nega a receber mesmo aqueles dos quais se fez conhecida e amada pela poesia. Destino de mulher, o seu, que não aceita a velhice e cerra as portas à amizade e ao amor por pudor, mais talvez que por vaidade". Palavras de Maria José de Queiroz no ensaio que lhe consagra, realizado com simpatia e compreensão, elementos indispensáveis a uma crítica criadora.

MARK TWAIN E LOBATO

Num estudo comparativo entre a literatura norte-americana e a brasileira, que ainda não se fez mas poderá fazer-se, um historiador de cá ou de lá "*não tardaria a marcar a igualdade de situações através do desenrolar dos tempos: primeiro, inventário de colonizadores e aspirações rebeldes de autonomia; depois, a glorificação do índio e o sentimentalismo em refe-rência ao negro, e, perto de nós, o neo-realismo nordestino de José Lins do Rego e Raquel de Queiroz encontrando a sua duplicata no neo-realismo de Steinbeck e Erskine Caldwell*". É o que nos diz o Prof. Cassiano Nunes no seu trabalho "Mark Twain e Monteiro Lobato: um estudo comparativo", publicação em separado do Vol. I, 1960, da *Revista de Letras*, órgão da Faculdade de Filosofia, Ciências e Letras de Assis, São Paulo.

Há efetivamente lugar para estudos comparativos desse tipo, não só em razão dos comuns vínculos americanos, como principalmente porque a literatura do Brasil e a da América do Norte são expressões até certo ponto singulares dum fato literário em geral — a literatura ocidental. Acima dos particularismos de cada uma, tão difíceis de captar e definir, acham-se em ambas — assim como nas demais literaturas de origem europeia — as situações gerais, as ideias mestras e os estados de espírito que as aproximam e unificam.

Um mestre da literatura comparada, P. Van Tieghem, citou esta frase de Longfellow, muito do meu agrado: "*O que há de melhor nos grandes escritores de todas as nações não é o nacional, mas o universal.*" E eis aí porque na problemática das criações literárias a consideração do particular reclama a investigação do geral, só possível mediante os mais abrangentes estudos comparativos.

Não vemos aqui o brasileiríssimo Monteiro Lobato, paulista de Taubaté, posto em paralelo com Mark Twain, legítimo americano do Missouri? É o que faz o autor do mencionado trabalho, professor de Literatura Norte-Americana na Faculdade de Letras de Assis, o qual mostra ter estudado bem os dois escritores.

Primeiramente, observou que Mark Twain, ao contrário do que comumente se pensa entre nós, não foi meramente um humorista, um autor risonho para leitores frívolos. Em seguida, notou, com surpresa, "extraordinária semelhança" no norte-americano e no brasileiro, não só nas suas obras, como nos seus caracteres pessoais e em suas vidas. Claro que viu discrepâncias. As coincidências, porém, pareceram-lhe numerosas e realmente curiosas

Antes de nada, Monteiro Lobato tinha muito de norte-americano pelo seu espírito pragmatista, empreendedor, entusiasta do progresso mecânico e das realizações práticas que rendem dinheiro, e nisto se parecia com Mark Twain. Seu *humour*, dos mais autênticos, lembrava o dos Anglo-Saxões, com um forte ingrediente, é claro, da chalaça e da mordacidade que herdamos dos lusos — e até com certo sarro camiliano. Porque Lobato, acentua o autor, e com ele concordamos, foi dos maiores humoristas que o Brasil já teve Não era unicamente um humorista? Mark Twain estava no mesmo caso.

Outras aproximações são assinaladas: Dois rios dominam a geografia lírica de Twain e Lobato — o Mississipi e o Paraíba. Precocidade da veia humorística, em ambos. Início literário tardio. Certo desprezo pela literatura que não rende dinheiro. Desinteresse pelas questões de Estética, Filosofia, Teologia. Gosto literário e artístico um tanto acanhados. Tendência para o concreto, incapacidade de entender o abstrato. Escassa receptividade para a poesia. Mais ainda? Agnósticos, um e outro, fechados à transcendência e ao misticismo. Indiferentes à Igreja e hostis ao Clero, que viam apenas como uma classe aliada dos poderosos e interessada com eles no ludíbrio do povo e na continuação da miséria do mundo.

O curioso, mas não muito estranho, é que ambos se interessaram pelo espiritismo. Era o tributo que esses homens, positivos e realistas a tantos respeitos, pagavam ao mistério e à credulidade fácil. Lobato considerava-o como ciência: morrer significava para ele passar do sólido para o gasoso, simples transformação da matéria – ideia, afinal, de materialista crédulo.

No tocante ao sexo, tanto um como o outro, geralmente o omitem nas suas obras. Felizes no casamento, pouco se ocuparam com a Mulher nas histórias que escreveram. Não há nenhuma história de amor em Mark Twain, nem há propriamente amor, disse o seu melhor crítico, a não ser alguma alusão ocasional a alguém que casou ou vai casar, apenas para servir de enredo. Lacuna também observável em Lobato. O amor e a mulher estão a bem dizer excluídos do seu mundo imaginativo. Ao que se pode supor, foi ele um raro exemplar de indivíduo monógamo, fiel toda a vida a sua legítima companheira. Pertenceria então, segundo o esquema que o Doutor Gregório Marañón traça das etapas da evolução do instinto, ao tipo de maior diferenciação sexual, essencialmente viril, genuinamente monogâmico, em que a direção da força instintiva propende para um só e único ser do outro sexo.

Enfim, dois imaginativos, voltados para a ação prática. Hábeis narradores, eram admiráveis contadores de casos: Mark Twain deixou uma obra-prima (esse bilhete na loteria), o *Huckleberry Finn*, e Lobato perpetuou alguns dos melhores contos que ja se escreveram no Brasil.

Ficcionista nato, o narrador de *Urupês* extraviou-se em empresas a um tempo práticas e quiméricas. Suas campanhas pelo livro, pelo petróleo e pela metalurgia foram congeminações de fantasista e fabulador. E uma das obras que escreveu, *O ferro*, nascia de seu entusiasmo pelo "forno Smith", tem muito de conto maravilhoso, ou de *science fiction*.

O amor ao dinheiro, ao trabalho literário bem remunerado, lançou Lobato na literatura para as crianças. O volume ilustrado, vistoso e atraente, foi a grande novidade com que o século passado presenteou a infância. Considerada como leitora de livros literários, a criança redundou numa descoberta industrial que enriquecia editores e autores. Lobato empenhou-se a fundo nesse campo e alcançou nele o seu maior êxito comercial como escritor. De propósito não dizemos êxito literário.

Em um inquérito realizado pela revista *Enfance*, de Paris, sobre os livros para crianças, muitos depoimentos lhes foram francamente desfavoráveis e alguns muito severos. Assim é que o escritor Marcel Aymé, autor de alguns livros adotados em bibliotecas infantis, dizia, entre outras coisas:

"Nunca escrevi para as crianças, mas por meu prazer; a tolice, a mentira, a hipocrisia caracterizam o livro escrito para a infância; e escritor para as crianças ganha a sua vida, eis o máximo que se pode dizer da sua atividade; o papel dos editores é fazer dinheiro da tolice e da indiferença dos pais; enfim, caberia aos poderes públicos proibir a literatura infantil, mil vezes mais funesta que a pornográfica."

Não menos condenatório, depunha Léonce Bourliaghet:

"Não existem livros para crianças, nem de literatura infantil. O que se oferece com essas rubricas é o espírito retrógrado e o produto de parvoíces". Pondo os pontos nos is: *"Uma obra-prima para crianças é a que antes de nada agradou a adultos inteligentes."*

Michel-Aimé Baudrouy opinava: *"a literatura infantil é considerada como uma literatura de terceira zona, abaixo do romance-folhetim e da literatura policial".* E dizia mais: *"Vivemos num equívoco. Para mim, o gênero literatura da infância não existe, ou antes, não deveria existir. Há livros bons e livros medíocres: eis tudo."*

Concordo com essas opiniões. Na nossa terra, a literatura dessa espécie, enxurro que abarrota as livrarias do país, é quase toda de obras de carregação, mal escrita, tola a mais não poder, produzida por gente que quer ganhar dinheiro, sem jeito para outra atividade lucrativa.

Por essa literatura enveredou Lobato nos últimos anos de sua carreira, e mais que um grande escritor, que sem dúvida o foi, revelou-se um grande fabricante. Neste ponto diferiu de Twain, que atraiu e ainda atrai leitores infantis, é certo, mas as histórias que escrevia não se dirigiam a elas particularmente e sim a leitores adultos. Por essa forma é que as obras-primas encantam as crianças e essas raramente se fabricam expressamente para elas.

Para terminarmos, voltando às aproximações lembradas por Cassiano Nunes: Lobato confessava seu entusiasmo por Mark Twain.

COM SÃO BOEMUNDO

1. A PROSA RIBEIRIANA

Os nossos românticos, pelo geral (e o mesmo aconteceu em outras partes), faziam pouco caso da linguagem correta e apurada. Na fase brava do nativismo hostil e tudo o que trazia a marca de ex-Metrópole, nossos escritores sonhavam com a independência linguística e almejavam escrever brasileiro. Passada a onda romântica, tivemos em reação a geração vernaculista de Machado, Rui Laet, João Ribeiro, Coelho Neto e em geral a dos poetas parnasianos, com Bilac, Raimundo Corrêa, Alberto de Oliveira, Vicente de Carvalho... Depois como tudo vai e volta, a revolução modernista inscreveu no seu programa o desapreço à pureza do idioma. Escreveu-se propositadamente em português mascavado. Mário de Andrade falou em redigir uma gramatiquinha da Língua Brasileira e desdenharam-se os escritores que prezavam a correção de linguagem. E agora, ou muito nos enganamos, ou já se nota contramarcha no sentido da vernaculidade.

Machado, Rui e João Ribeiro são, para o nosso gosto, e supomos que para o de muitos outros, os mestres máximos da prosa portuguesa no Brasil. Por que se omite aqui o nome de Euclides da Cunha? Não é um escritor de grande força e sua prosa não traz a marca de raro vigor e fulgor? Sem dúvida, mas é uma prosa que não se admite sem reservas e reparos. E Coelho Neto, que começa a sair da *frigidaire* em que com um golpe de mão o havia deixado a geração modernista? Não se contesta: prosador rebrilhante, imaginativo, versicolor, mágico da palavra. Mas em excesso rococó. Vernaculista, sim, dentro porém da linha do escritor artista do seu tempo nenhumamente clássico, entendido o Classicismo, ao contrário do Simbolismo, como arte de pudor e de modéstia, de contenção e disciplina. Quando André Gide abandonou o Simbolismo foi porque já não o cria próprio senão para exprimir fingidas obscuridades e a clareza lhe parecia um mistério mais profundo. Se optava pelo Classicismo era porque via nele o estilo mais apto para selar os seus segredos: *Ars est celare artem.*

Fiquemos então nos três grandes da geração vernaculista, os três prosadores mais perfeitos dentro da linha clássica portuguesa. Se nos perguntassem — mera hipótese — qual deles merece a nossa preferência, vacilaríamos muito em responder. Não o fazemos, mas permitindo-nos uma distinção. Como mestre do vernáculo, titã da palavra escrita e falada. E como artista da prosa? Era o sem par. Admitimos aqui, contudo, que a escolha possa oscilar entre os três. A prosa portuguesa, no que ela tem de mais rico, terso, eurítmico e expressivo, através dos seus mais altos representantes, conflui e influi na dos três brasileiros. A prosa de Rui é tributária da de Vieira, luxuriante, rica em ornatos, milionária. A de João Ribeiro deriva da de Frei Luís de Sousa, dútil e insinuante, e ainda mais da de Manuel Bernardes, enxuta, amena e mesurada. A de Machado de Assis, essa, procede antes de nada da de Garrett, romântica à inglesa já saborosamente moderna.

E a este propósito me lembro do que disse José Ortega y Gasset no seu conhecido ensaio *Pidiendo un Goethe desde dentro*. Disse que poderia suspeitar-se que Goethe "*es el más cuestionable todos los clásicos, porque es el clásico en segunda potencia, el clásico que a su vez había vivido de los clásicos el prototipo del heredero espiritual...*" Aplicam-se estas palavras a Rui, Machado e João Ribeiro? Claro que se podem aplicar. Sem diminuir em nada a peculiar autenticidade de cada um.

Quem não é o herdeiro espiritual de alguém? Clássico em primeira potência? Só o seria o demiurgo platônico, o sol das inteligências.

Rui carecia, como o grande Vieira, de capacidade inventiva, fabuladora. Homem de ação, como o seu modelo, foi, por isso mesmo, João Ribeiro, poeta, professor, filólogo, historiador, pintor e músico. Não era destituído de imaginação, como o provou com as suas poesias, os sutis e maliciosos recontos da *Floresta de exemplos* e dois romances e uma peça de teatro, que deixou inacabados. Versátil em extremo, esbanjou suas altas qualidades de intelectual e de artista e sua sábia curiosidade universal na atividade perdulária do ensaísmo efêmero e do ainda mais efêmero jornalismo literário. Machado, com mais força de imaginação e mais seguro de seus dons criadores, foi dos três o que logrou realizar obra destinada a perdurar e mesmo a crescer com o tempo, como se vem dando no seu caso. A obra em grande parte fungível de Rui e João Ribeiro explica o relativo desgaste dos dois mestres da prosa, em confronto com o outro.

Sou machadista, como os que mais o sejam, e sou ribeirista. Com esta diferença na minha dupla admiração: confesso que não li todas as obras de Machado, embora tenha relido algumas, três ou quatro entre as mais significativas do escritor, ao passo que li todo João Ribeiro aparecido em livro, com certas releituras, e li também durante anos em suas colaborações assíduas na imprensa do Rio e de São Paulo. Estimo sobremaneira a prosa de Machado, se bem que algumas vezes, poucas, me tenha enfastiado, como pode acontecer com a dos grandes escritores da sua linhagem, que é a dos moralistas um tanto secos, Pascal, La Bruyère, Chamfort... A de João Ribeiro eu a saboreava e ainda saboreio sem nunca enjoar. Se me acontece pegar ao acaso algum de seus volumes de escritos breves, é certo que já não o largo sem o ler de ponta a ponta.

Pode-se escrever, e tem-se escrito, à *la manière* do estilista de *Brás Cubas*. Não à *la manière* do autor de cartas devolvidas, porque neste não há maneira (ou amaneiramento), senão pensamento e forma no seu perfeito ajustamento como unidade expressiva.

2. O SÁBIO POLÍGRAFO

Filólogo, historiador, ensaísta, folclorista, inigualável polígrafo, nascido para o trabalho lento, metódico e silencioso dos gabinetes, investigador nato, daqueles para os quais *"a pesquisa é mais agradável que a descoberta da verdade"*, esgotou no entanto a sua longa existência em trabalhos pela maior parte fragmentários e ocasionais. A erudição não tinha ainda entre nós o seu ambiente mais adequado — a Universidade. O intelectual era aqui o mestre de si mesmo e tinha no jornalismo disperso o meio mais fácil e quase único de romper a solidão.

"João Ribeiro (escreveu o seu biógrafo Múcio Leão) *viveu toda a sua vida nessa terrível, e ansiosa, e jamais satisfeita atividade da imprensa. Escrevendo para jornais desde quase a adolescência, ele multiplicou-se em crônicas, sueltos, comentários, artigos de toda a ordem. Sua produção avulsa, no dia em que for recolhida em volume, dará, sem exagero, uma pequena biblioteca."*

Não alimentava ambições *ad posteros* e, afinal, tudo bem somado, o livro não lhe parecia menos vão e efêmero que o jornal. Joaquim Ribeiro, seu filho, conta que ouviu dele:

"O livro ordinariamente não passa de jornal empalhado. Os jornais desaparecem no dia seguinte. O livro dura um pouco mais e apodrece lentamente. A diferença é que a um mata a morte súbita, a outro a consunção lenta."

Karl Vossler esteve no Brasil e na Argentina, em 1932, por ocasião das festas comemorativas do centenário da morte de Goethe. Algum tempo depois, divulgou pela revista *Corona* de Munique, um estudo posteriormente traduzido em Buenos Aires sob o título *La vida espiritual en Sudamérica* e publicado pelo Instituto de Filologia da Faculdade de Letras da capital argentina. Havia no estudo uma passagem que nos pareceu particularmente interessante, na qual o sábio filólogo se referiu à formação intelectual dos sul-americanos. Falando do isolamento em que aqui viviam os escritores e homens de ciência, sem receber crítica nem alento, declarava que aprendera a ter veneração e carinho para uma atitude de vida espiritual que na sua terra, a Alemanha, só existia em casos excepcionais:

"*A atitude heroica que tem de se isolar, não por extravagância ou singularidade, senão por necessidade e retidão*; é a solidão não buscada". Lembrava-se principalmente de alguns historiadores e filólogos que tivera ocasião de conhecer no Rio e em Buenos Aires, e dizia:

"*Não resisto à tentação de traçar a silhueta da mais formosa destas personalidades: a de João Ribeiro, um sábio quase octogenário, de vasta cultura histórica, linguística e literária, rosto taciturno, de traços rudes, olhos negríssimos, tranquilos e bondosos, boca cerrada, vigilada, voz débil — chi per lungo silenzio parea fioca —, vestimenta descuidada, porém o mais perfeito cavalheiro em cada um de seus gestos. Falava, a princípio, pouco e baixo; lentamente, apoiando-se em minhas respeitosas observações, foi-se confiando, até que por fim toda a sua reservada personalidade cobrou ânimo, o homem interior se desgelou, suas palavras se encheram do mais encantador humorismo e jovialidade, abriram-se as esclusas de seu vasto saber e de seu juízo seguro e são.*"

O sábio professor de Munique exprimiu bem nesse rápido perfil do sábio professor brasileiro o respeito que lhe mereciam os espíritos mais estudiosos e seletos que aqui se viam obrigados ao enciclopedismo, ao poli-historismo, à poligrafia e aos artigos de vulgarização geral.

Mas não importa muito que a obra ribeiriana tenha sido pela maior parte fragmentária, picada, para alcançar um público não especializado. Assim é como a estimamos, sem o empacho da erudição professoral, tantas vezes enfadonha e estéril. Nos artigos mais apressados de revista ou de jornal, era sempre o *maestro di color che sanno*, ensinava sempre e encantava com a graça do seu espírito irreverente, bem humorado e pela benevolência com que recebia — *cum grano salis*, como gostava de dizer - as tolices alheias, sabendo também rir-se das próprias.

3. EM FACE DA RELIGIÃO E DA POLÍTICA

Duma toda independência de espírito madrugaram em João Ribeiro as inclinações heterodoxas, nada pequeno-burguesas, vagamente libertárias, manifestadas desde a adolescência. Num de seus cadernos de estudante (lê-se no citado livro de Múcio Leão), rabiscou o rapazinho esta espécie de exame de consciência: "*Em moral: Materialista. Em religião: Ateu. Em civilidade: Misantropo. Em política: Comunista. Em filosofia: Pessimista. Em ciência: O.*"

Nisto ficou sempre, sem embargo das contradições - sucessivas mas não simultâneas — do seu espírito maleável e ondulante.

Agnóstico e sem religião, como Machado de Assis, considerava-se *fecha do* à metafísica e ao misticismo. Não era anticlerical, nem combatia a Igreja, então sem força para influir na nossa vida pública depois da disseminação do positivismo de Comte e da sua separação do Estado. Sentia-se porém atraído para a legenda de Jesus, como Renan, em razão talvez da sua índole bondosa e exorável. A literatura religiosa ou sacra, confessou, não o atraía senão mediocremente. Mas lia e admirava os velhos textos sagrados e os eucológios. Admirava-os, não pela substância que continham, mas unicamente pela simplicidade e beleza da forma em que comumente estavam vasados, como no caso dos seus mestres Frei Luís de Sousa e Padre Manuel Bernardes.

Por isso escreveu um livro saboroso, que todos os ribeiristas amamos, *Floresta de exemplos, "livro de falsa aparência religiosa sem religião alguma"*, como ele próprio confessou, declarando ter merecido a censura talvez justa de haver "*ajoelhado entre os fiéis para desacreditar e macular a pureza da verdadeira fé*".

A dileção pelo que há de lendário e poético nas obras religiosas e sagradas, a fascinação daquilo a que os racionalistas chamam "mitologia cristã", é frequente nos escritores incréus do tipo de João Ribeiro e na linha de Flaubert, Renan, Lamaître, France, Eça, Machado de Assis..., hereges de humor irônico e irreverente, justamente os menos aptos para compreenderem as exaltações místicas dos grandes crentes.

O catolicismo, esse, via-o praticado por uma população em grande parte analfabeta e de cultura desnivelada, como um misto de culto romano e ritos afro-brasileiros, um feiticismo de santos milagrosos e orixás das macumbas, como ainda se observa hoje na capital mais adiantada do país.

Certa vez defendeu o espiritismo, "*seita tão racional como a católica, com o só defeito de eliminar o purgatório e conseguintemente o provento das missas e outros abusos sagrados*". Um amigo espiritista escreveu-lhe agradecendo a defesa dessa doutrina e concluiu formulando a esperança de vê-lo aceitar a religião nova dos espíritos. "*Nova ou velha, comentou o escritor pela sua coluna do Jornal do Brasil, não aceitarei porque não acredito nos espíritos e não posso estar na fileira dos deístas que duvidam da própria divindade.*"

E disse conclusão:

"*Huxley, falando do positivismo de Comte que é uma religião sem Deus, acrescentou que é como aqueles vinhos sem uva que por aí há. Ainda sob*

esse aspecto fico muito mal porque em mim a ausência é total, tanto da uva como do vinho. E espero morrer nesse absenteísmo espiritual."
Naquilo ficou, materialista e comunizante, como na adolescência. Fácil é admiti-lo. Em um texto de 1897, enviado da Alemanha para a *Revista Brasileira*, exprimiu claramente numa frase o que havia no fundo do seu pensamento histórico-sociológico: *"Todo o mundo sabe que são principalmente as forças econômicas que determinam os tipos de organização social."* Era o *"ovo de Colombo"* da ciência social e política, descoberta por Marx.

Múcio Leão, que cita o texto, assinala o seguinte:
"não somente esse critério de submeter a vida e a evolução histórica ao fator econômico dá a João Ribeiro uma certa orientação marxista no conceber a História. Ele conhece também a luta de classes, como se evidencia na narração da revolta dos negros na Bahia, em 1835. Ali, chega a essa conclusão, que é o resultado do seu método materialista."

E logo adiante:
"Para ele a História é apenas o resultado do choque das classes em que os indivíduos se distribuem, na prossecução de uma finalidade propriamente material."

Nisso continuava, mais de trinta anos depois. Já septuagenário, sua proclividade marxista não fizera senão acentuar-se. Considerava-se apolítico? É certo, mas só neste sentido: não se interessava pela politiquice da nossa oligarquia dirigente com seus remanescentes de paternalismo colonial e a ficção constitucionalista à inglesa ou norte-americana. Não a combatia e achava-lhe a explicação: *"a oligarquia não é um vício, é a única possibilidade de vida coletiva em terra de lavoura de latifúndio e de aspirantes ao emprego público."* A política que poderia substituir esse regime de transição é que o não deixava indiferente. Ainda neste ponto, sem qualquer dúvida, era homem da esquerda. Os velhos sistemas oriundos da Revolução Francesa e da Revolução Industrial, os mitos da democracia burguesa, pareciam-lhe dessuetos. Lia com interesse tudo o que se referia à U.R.S.S., admirava o gênio de Lênin, afirmava o valor das teorias de Marx. Não era porém um revolucionário. Tudo se faria pela evolução progressiva. "Não há eficácia de revolução", escrevia. E citava Goethe: "A civilização é tranquila", pensamento de burguês bem acomodado na sociedade e receoso de que lhe quebrem as vidraças ou lhe perturbem a beatífica digestão. Acreditava que no Brasil as transformações se operariam lentamente. Entretanto assegura-nos Múcio Leão, sua simpatia pela experiência comunista era tão grande, que quase o fazia admitir a ideia de revolução violenta.

Uma onda de interesse pelo que se passava na Rússia Soviética percorria o país entre os anos de 1931 a 1934, até arrefecer-se diante da dura reação nazi-fascista dos anos que se seguiram, quando muitos adeptos ou simpatizantes de Moscou se omitiam com medo da polícia política.

Em junho de 1931, um repórter da *Revista da Semana* pediu-lhe a sua opinião sobre o comunismo. Obteve em resposta:

"Não tenho dúvida de que a humanidade marcha para lá. O Brasil também."

Entendia, porém, que o comunismo, no Brasil, havia de ser brando, realizável mediante um acordo entre as partes. Não tínhamos aristocracia. Faltava-nos uma resistência conservadora. Donde a possibilidade de entrar aqui, pensava o historiador.

A propósito da mencionada entrevista, disse o seu ilustre biógrafo, aqui citado mais de uma vez:

"Com a sua coragem filosófica, ele vai ao extremo de explicar essas reflexões marxistas ao Brasil — e de conceber, em nosso país, uma federação de sovietes..."

Um reflexo das suas ideias políticas aplicáveis ao Brasil pode achar-se numa nota bibliográfica de menos de cinquenta linhas, paginada com aparente negligência no meio de outras do seu "Registro literário" do Jornal do Brasil de 30 de março de 1932. A nota, curiosíssima, referia-se a um misterioso folheto (imaginário, logo se percebia), intitulado *Que é que haverá?*, de autoria de Gegê Aranhol, nome fingido que não podia enganar. O folheto dizia-se "abracadabrante e apocalíptico". Múcio Leão, que o comentou, disse que João Ribeiro recorrera a esse subterfúgio literário para externar suas ideias acerca da organização social do país, julgando talvez inconveniente tratar o assunto diretamente e sem rebuços nas gazetas conservadoras em que colaborava.

Que é que haverá?, indagava Gegê Aranhol num momento de confusão política. O que vai haver, respondia ele, é o golpe inicial e final: a abolição dos congressos, com grande economia para o país e o fim de milhares de calamidades e intrigas políticas. Um pequeno conselho legislativo de três membros por estado o substituiria. Esse o primeiro *item*. O segundo era a divisão territorial nova, para terminar com a mais injusta das desigualdades. O terceiro, a limitação dos empréstimos estaduais e municipais. Quarto, dividir e lotear os latifúndios, com a sua renda aplicada à indenização. Quinto, abolir o serviço militar obrigatório, ou impô-lo às mulheres em corpos especiais. Sexto, criar capelães do exército para catequese, respeitada a liberdade de consciência. Outros itens mais: imposto da imprensa, da calúnia escrita, imposto escolar, etc.

Algum tempo depois, o Estado Novo suprimia os congressos e dava a cada unidade da Federação o seu conselho administrativo. Não se chegou, pois, à perfeição sonhada por William Morris e outros socialistas ingleses de seu tempo: a transformação em depósitos de esterco das casas dos parlamentos onde se dá ao povo a ilusão de participar das pantomimas políticas. Enfim, o resto ficou como estava, isto é, nada abracadabrante e menos apocalíptico.

Quem era Gegê Aranhol, esse homem surgido da revolução de 30? O crítico do "Registro literário" transcrevia as palavras do fantástico reformador do Brasil: — "*Eu não sou revolucionário de Outubro. Não sou gaúcho, paulista ou mineiro. Sou do Norte. Percorri todo o Brasil e compreendo o que nos faltava e nos falta ainda.*"

Correu muito tempo. Depois disso, houve na política nacional alguns descompassos de situações e pessoas, continuando porém firme o sistema oligárquico. Assim convém aos magnatas paulistas, gaúchos e mineiros. Quem sabe a reforma não se iniciará nas regiões pobres do Norte? Aguardemos o Apocalipse.

Era realmente marxista, ou apenas o seria em estado larvar? Não o poderíamos saber. Há os indícios positivos a que já aludimos. E há outro ainda que se pode acrescentar àqueles. É o da sua ideia de pátria, sotoposta à de humanidade, que no caso tanto se pode aproximar da de Marx como da de Goethe. Assim é que, aludindo à unidade alemã, no texto da *Revista Brasileira*, citado, disse o nosso escritor: "Ela foi obra do patriotismo e eu não sou patriota." Logo adiante, agregava: "*Eu ouso dizer que na América o patriotismo é um sentimento mortal. Ou a América será cosmopolita, ou não será.*" Estava certo, tomando-se o patriotismo no sentido de jacobinismo ou de nacionalismo extremado. Mas as suas palavras tinham sentido mais amplo, como se infere desta explicação: "*O homem de hoje vacila entre a pátria e a humanidade e é raro que ele possa ser humano e patriota ao mesmo tempo. Cada bem traz a sua antinomia do mal e decerto o patriotismo é um dos aspectos demoníacos da civilização.*"

Era a simples declaração de um espírito amadurecido para compreender o universalismo cultural de Goethe, que se confessava "cidadão do mundo"? Ou a sua noção de pátria se aproximava da dos marxistas, que a consideram menos importante que a de classe?

No romance de Henri Barbusse *Le feu*, veemente protesto contra os horrores da guerra a que são arrastados milhões de homens em nome do sacrossanto patriotismo, diz um soldado a seus companheiros entocados na trincheira como toupeiras enlameadas: "*A pátria não é uma ideia falsa, mas é uma ideia pequena*". E dizia Marx, no Manifesto comunista: "*Os operários não têm pátria*". Dizia-o, é certo, polemicamente, em réplica aos patriotas burgueses que denunciavam o comunismo como destruidor da pátria. Seja como seja, não se trata de uma ideia absoluta, acima de consciência, mais além do direito humano. De outra forma perderia seus títulos.

4. O MESTRE RISONHO

Machado de Assis, cético, amargo, pertencia à geração que tinha a Schopenhauer como oráculo, o Schopenhauer misantropo das sentenças e reflexões morais. Típico representante da ideia burguesa, como o "doutor do pessimismo", exercitava o seu *humour* acre e sua crítica acerada contra a sociedade humana em geral e, de modo particular, contra os ídolos da cidade e o status da classe dominante, semifeudal e em desagregação, do Segundo Reinado. Discordava, mas conformava-se. Pequeno-burguês pacato, prezava, como qualquer outro da sua condição, os valores de consideração. Cético de entranhas lavadas, não o era tanto que não acalentasse ilusões literárias e a elas aplicasse o seu talento em verdade superior. Acreditou seriamente na significação das suas letras? Se acreditou, o que já era ter fé, andava no certo, ao menos quanto ao seu relativo valor prático, pois por meio delas ascendeu na escala social e alcançou a respeitabilidade das pessoas consideráveis. Como aconselhava Cândido, cultivava o seu jardim, que era o das boas letras e nada o forçava a lavrar fora delas. Não cria no homem nem mostrava confiar na reforma e progresso da sociedade? Assim parece. Com alegria de masoquista, buscava no mundo tudo o que podia confirmá-lo no seu desencanto de pessimista Schopenhaueriano. Mudar para quê? Segundo Schopenhauer, a organização da sociedade humana oscila como um pêndulo entre dois extremos, dois males opostos: o despotismo e a anarquia, e quanto mais se afasta de um, mais se aproxima do outro, se possível meio termo. Por isso convinha que todo sistema político, se aproximasse mais do despotismo que da anarquia: os golpes de despotismo, quando se traduzem em atos, só atingem um homem entre milhões deles, ao passo que os da anarquia ferem cada cidadão, o que sucede todos os dias.

Conjeturamos que Machado era, enfim, o que chamaríamos hoje um intelectual da direita, mas sem compromissos, cioso da preservação de seu individualismo destacado de toda responsabilidade social. E porque falar em responsabilidade? Não era um político, nem um sociólogo, nem um pedagogo, nem um militar, nem um sacerdote, nem mesmo um publicista ou jornalista. Era um escritor artista, que cultivava, não a arte com ou sem compromissos sociais, mas a arte da verdade exemplar, de longo alcance, arte de moralista e psicólogo, ligada também ela à ação e portanto inserta no tecido apertado da História.

João Ribeiro formara-se com outras vistas. Filósofo risonho, "pirrônico e acataléptico" (como disse de si próprio), particularmente bem-dotado para a fruição da cultura superior e o meneio das filosofias, das letras e da erudição, não parecia, contudo, alimentar muitas ilusões sobre a sua afanosa atividade de escritor, professor e crítico. Nem as alimentava sobre a nossa cultura literária, que julgava de somenos valia. Mas, ponderava, o Brasil é ainda um campo de experiência, esperemos o nosso dia. "*Há de chegar a nossa vez, pois que vivemos na eternidade.*" Assim epilogava, com o toque levemente irônico que lhe era habitual, um artigo seu para o *Jornal do Brasil* sobre as nossas relações culturais com a Alemanha.

Ensinava e encantava, como o mais douto, lúcido e amável dos nossos críticos literários, mesmo nos apressados comentários de livros novos que redigia para os seus rodapés de jornal. Era o perfeito contrário do crítico de escada abaixo ou do censor de palmatória. Exagerava, talvez, no sentido da complacência? Assim o entendeu Agripino Grieco, que na crítica do mestre julgou enxergar "*certo prazer, talvez perverso, em anistiar todas as tolices*". O mestre rebateu a insinuação sardônica. Disse que, não sendo possível adotar um critério de severidade que excluiria quase toda a produção brasileira, seguia a bitola que mais convinha, e era (e ainda é e será por muito tempo) a de "*aplaudir o esforço pessoal da nossa minguada literatura*". E não era só por essa razão. "*Aplaudo de consciência, disse, e porque tenho, é verdade, uma natureza admirativa*".

Aludindo aos percalços da crítica literária no jornalismo, como era a sua, não se cansava de dizer que "a crítica não julga em última instância e que, bem entendido, não passa de noticiário e de rápido serviço de informação."

Ora bem, depois de tê-lo chamado "*candidato a clássico esquecido*" e "*Pai João das gramáticas*" — mero rebate de humorista mal humorado —, o dicaz Agripino Grieco, destríssimo *portaitiste* à Sainte-Beuve, exaltou-o numa de suas mais certeiras biografias intelectuais, reconhecendo nele a "*delicadeza de um civilizado dos grandes séculos*".

Compassivo e bonachão, João Ribeiro sabia desenjoar no leitor o adocicado dos elogios com o sal ático da ironia risonha. Quando era preciso, mordia de leve e soprava logo, ou soprava antes de morder. Releiam-se os seus rodapés críticos e ver-se-á que acertava muitas vezes nessa precária função que é o julgamento dos contemporâneos.

Foi um bom crítico da fase pré-modernista. Recebeu sem estranheza o movimento modernista, antes vendo nele "*a tendência de renovação que é o sinal mais expressivo de cansaço das imitações da gente antiga espoliada por todos os epígonos"*. E confessou que era sensível a todas as novidades que preferia a repetidas velharias. Concluía: *"Os novos hoje triunfantes se aplicaram o ouvido sentiram o rumor de meu aplauso. E estou satisfeito."*

Dizia não raro as coisas como que advertindo: *"Por favor, não me tomem demasiado a sério..."* Podia ser um bom mestre quem semeava a dúvida acerca de suas próprias palavras? Podia, e certamente o foi, entre os melhores, de duas ou três gerações. Não se acha a dúvida na base do espírito crítico e da investigação científica? Há um aforismo de Nietzsche que calha lembrar aqui: *"Quem nasceu para mestre não toma as coisas a sério senão enquanto se referem a seus discípulos: nem mesmo se toma a sério para si mesmo."* Pois não é que o nosso Sócrates zombeteiro chegou até a motejar de sua notável *História do Brasil* classificando-a de "*facécia didática que o meu povo tomou a sério"...?*

Historiador de grande envergadura, deixou no entanto escapar esta boutade que seu filho Joaquim Ribeiro referiu: *"Prefiro a lição dos humoristas à da História"*. Ele próprio era um mestre do *humour*, um pouco à maneira de G. B. Shaw, que dizia: *"Meu estilo de pilhéria é dizer a verdade. A verdade é e pilhéria mais engraçada que existe."*

O sociologismo contagiava já em seu tempo a muitos intelectuais de certo tipo grave, incapaz de *humour*. João Ribeiro, vacinado por seu natural ceticismo contra esse contágio, pôde dizer: "Em rigor, toda sociologia é um composto de conjeturas, de vagas indagações, embora se apóiem em dados precisos de estatística e de outras ancilas dessa nova teologia".

No volume Colmeia e em outras partes apontou imperfeições da instrução no país. Criticou programas e processos de ensino e, sobretudo, o que ele denominou a examinologia, aflição e tormento dos nossos estudantes. Chegou dizer, compreensivo: *"O que há de melhor nos exames é a benevolência do professor."*

Feito para a ascese intelectual, sabia que só na humildade filosófica se achava o verdadeiro contentamento. Tão rico de saber, como pobre de bens materiais, viveu com simplicidade e alegria, sem fazer caso da enganosa popularidade e da glorіola que fascina os mais vaidosos. Ao completar setenta e três anos – num dia de São João —, Humberto de Campos escreveu uma página de devoção em que celebrava São João Ribeiro, o Sábio, o São João das letras brasileiras, santo do seu agiológio. E assim se dirigia ao São João por ele venerado entre os vinte e oito santificados pela Igreja:

"Louvado sejas tu, pois, meu São João brasileiro! É a ti que rezo neste dia, para que a tua velhice seja longa e tranquila, e continues a trabalhar pela conquista do teu vão: tu, que dos três Joães de hoje és talvez o mais

pobre, pois que não tens, como João, o Batista, um cordeiro no braço para comer e não terás, talvez, como João, o pastor, quem te dê, mais tarde, um carneiro para dormir..."

Os redatores de *A Semana*, de Valentim Magalhães, lá pelo ano de 1895, chamavam a João Ribeiro, colaborador da revista — "o nosso São Boemundo", recordando o eremita do conto que com esse título lhe valera o primeiro lugar num concurso daquela publicação literária. A São João Ribeiro, o Sábio, ou ao São Boemundo, eu rendo humildemente aqui, neste ano do centenário de seu nascimento, a homenagem de minha veneração — sem idolatria, mas de puro afeto humano —, homenagem pela sua obra de escritor, um dos mestres de minha geração, e pela sua vida exemplar de homem bom.

BILAC E A "QUARTA GERAÇÃO ROMÂNTICA"

No liminar de seu livro *A vida exuberante de Olavo Bilac*, Livraria José Olímpio Editora, Rio, 1944, Elói Pontes declara que ao escrevê-lo tivera o propósito de levantar o mapa intelectual do Brasil nos últimos sessenta anos, a partir da campanha abolicionista e do naturalismo. Na realidade, o mapa que Elói Pontes está levantando começa antes, no período marcado pela Guerra do Paraguai, e fixa até aqui em quatro obras bio-literárias — *A vida contraditória de Machado de Assis, A vida inquieta de Raul Pompeia, A vida dramática de Euclides da Cunha* e agora *A vida exuberante de Olavo Bilac*, — os acontecimentos capitais da vida mental brasileira, desde o último terço do passado século à segunda década do presente. Fixa a história de uma época literária - a mais viva e brilhante que já tivemos — e, por conseguinte, a história de um período muito importante de nossa formação cultural, pois a literatura é a cifra e resumo de toda cultura superior.

Impõe respeito a quantidade de informações utilizadas nessas quatro obras com o melhor senso de seleção. Nos dois grandes volumes da obra sobre Bilac, notadamente há uma tal riqueza de material, que, com algum ingrediente retórico, dará aos desnatadores de obras alheias a matéria suficiente para vários livros e numerosos subprodutos literários.

Houve exuberância de vida em Bilac? Houve, sim. Exuberância de vida literária, antes de tudo. Bilac e os escritores mais representativos da sua geração estavam encharcados de literatura até o tutano. Eram escritores, artistas apaixonados da Forma e do sortilégio das belas palavras. Mas tiveram também uma vida exterior fantasista e tumultuária. Certo, não é só a vida exterior que tem direito a chamar-se vida. A vida pensada ou escrita é também vida como a outra. E a própria vida vivida, se não fosse pensada, que seria afinal de contas? Se a pena não o consignasse, nada representaria, não deixaria traços. A vida retirada de um Machado de Assis, pobre em acontecimentos exteriores, foi tanto ou mais rica e enérgica que a vida irrequieta de um Bilac ou um Patrocínio. O ascetismo e a boemia anárquica são pontos extremos da vontade; há tensão no primeiro caso e distensão no segundo. A geração de Bilac não teve muitos ascetas intelectuais, como Machado, ave rara, mas tinha boêmios em grande número, meio reais e

97

meio fabulosos, como que pastichados das personagens de um romance de Murger, lido então enormemente. Gente ruidosa, estúrdia, trocista, voltada para o exterior. Gente que aproveitou como pôde a mocidade e, pela maior parte, soube também envelhecer. Foi uma geração de gostos literários e artísticos refinados, *anti filistina*, inimiga do burguês pé-de-boi e, aparentemente, misógina e pessimista, geração burguesa, em verdade, já em processo de dissolução e autocrítica masoquista.

Bilac fez esta confissão, quando já havia firmado o nome de escritor:
"Pertenço à geração dos que ainda não eram nascidos ou apenas engatinhavam quando começou a Guerra do Paraguai. E por ter nascido nesse período de ansiedade, de tristezas, de luto e de sangue, que a minha geração é uma geração de tristes e desanimados? Talvez. O que sei é que a época era dura e má. Quase todos os homens válidos tinham partido para o campo da batalha — uns levados pelo patriotismo e pela ambição de glória, outros apenas porque tinham um dever a cumprir e outros tentados pela perspectiva de ganhos fartos e fáceis. Aqui, nas casas onde não havia miséria, havia, pelo menos, tristeza e susto."

A confissão vale pouco. Não era uma geração de tristes e desanimados, a de Bilac. Nem a guerra durante a que nascera ou engatinhava a sua geração era a natural inspiradora de semelhante estado de espírito. Todo período humano é de insegurança, tristezas, sangue e luto. E o pessimismo é a atitude intelectual normal nos moços cheios de força e de idealismo que acham o mundo necessariamente imperfeito e mau, e creem que é muito difícil consertá-lo. Mas esse pessimismo que a mocidade alardeia é todo de superfície.

Não o esqueçamos: o pessimismo é a doença dos belos espíritos, como se dizia em outros tempos. E lembremo-nos, antes de nada, de que o pessimismo grassou como doença endêmica, em todo o mundo, na geração que nasceu sob o signo de Schopenhauer. O pessimismo, o tédio, a inquietude, a misoginia — tudo aliás muito superficial — da geração de Bilac tem uma origem literária conhecida: procedem de Schopenhauer, profeta e iniciador da quarta geração romântica, segundo a interpretação que Ernest Seilliére dá ao Romantismo como fenômeno totalitário da História da Cultura.

Historiando o misticismo romântico ou misticismo naturista — passional, estético, racial e nacional, democrático e social — Seilliére classificou cinco gerações românticas, formadas num misticismo irracional, anti cristão ou cristão herético, que, sob os nomes diversos de jacobinismo, romantismo, socialismo, se tornou a religião da Idade Moderna. Chamou quarta geração romântica à que desenvolveu a sua atividade literária de 1860 a 1890 aproximadamente. Compreende em França os leitores de Stendhal (de fama póstuma), e depois Flaubert, Barbey d'Aurevilly, os Goncourt, Dumas Filho, Gautier, Renan, Baudelaire, Verlaine, Leconte de Lisle, Amiel em Genebra. Na Alemanha, é o êxito tardio de Schopenhauer. Nome do mal desta geração: Pessimismo. A Inglaterra vitoriana é menos romântica. A quinta geração inclui Zola (durante boa parte de sua carreira), Maupassant, Huysmans, Henri Becque, etc. Na Rússia, Tolstói. Nos países escandinavos, Ibsen Strindberg. Na Alemanha, Nietzsche, Hauptmann. Na Inglaterra, Wilde e Shaw e, na Itália, d'Annunzio. Nome de seu mal: Neurastenia.

A quarta geração romântica brasileira — admitindo-se para o caso a interpretação e a classificação mencionadas — seria a do período literário de 1880 a 1910, ou de 1885 a 1915, levando-se em conta o atraso com que as influências europeias aportam à América. É ainda a geração de Machado de Assis e, já principalmente, a de Bilac e os parnasianos. Esta sentiu a influência total da quarta geração romântica francesa e, em parte, a da seguinte, especialmente no tocante ao naturalismo ou verismo. (Recorde-se entre parênteses, que o verismo era para Carducci a décima-quinta maneira do romantismo).

Prende-se a esta corrente, em Portugal, uma floração de magníficos escritores: Ramalho Ortigão, Antero de Quental, Eça de Queiroz, Oliveira Martins, Guerra Junqueiro, Fialho de Almeida... Muitíssimo lidos no Brasil, foi grande a influência que todos eles, e notadamente Eça de Queirós, exerceram nos poetas e prosadores da época de Bilac.

Sintoniza também com a quarta geração romântica francesa, na América espanhola, a geração de escritores hispano-americanos que realizou, de 1883 a 1905 ou 1914, o chamado *"Movimento poético modernista"*, iniciado por Martí, Salvador Díaz Mirón, Gutiérrez Nájara, José Assunción Silva e Julián del Casal e de que foram chefes reconhecidos Rubén Darío, Santos Chocano, Herrera y Reissig, Lugones, Valencia e outros. Nascido das influências simultâneas do romantismo e da escola parnasiana, esse movimento de renovação poética acolheu posteriormente as experiências dos simbolistas. E eis como um crítico do movimento, Rufino Blanco Fombona, o definiu: *"A escola modernista se caracteriza pelo pessimismo, e refinamento verbal, a exaltação da sensibilidade, a rebelião e o culto da beleza"*. Dito com palavras do vocabulário de Seilliére: misticismo passional, misticismo estético, misticismo social, pessimismo schopenhaueriano; e mais esta palavra do vocabulário comum: juventude; tudo somado: romantismo essencial. A caracterização de Fombona ajusta-se também, como uma luva, à escola literária de que Bilac foi o mestre mais acatado.

Schopenhauer, que no fundo era um sujeito otimista, como demonstrou paradoxalmente S. Rzewuski, — Schopenhauer, e não apenas a tristeza da Guerra do Paraguai, deve ser considerado o principal responsável pelo pessimismo alardeado por Olavo Bilac e outros escritores de sua geração.

O romanesco, ou espírito de quimera, que se acha no fundo das místicas românticas, não é de forma alguma um estorvo para a ação. Ao contrário, é um habitual auxiliar do esforço vital. Que são as místicas dominantes em nossa época, senão criações do espírito romântico? E é curioso observar como os pessimistas e céticos podem tornar-se professores de energia e guias espirituais da mocidade: Barrès na França, d'Annunzio na Itália, Bilac no Brasil.

Muito bem posto, o título do livro de Elói Pontes sobre o poeta mais querido do Brasil, em seu tempo. E não havia exuberância de vida só em Bilac. Toda a sua geração exuberava de graça, fervor e mocidade.

DUAS NOTAS SOBRE MACHADO DE ASSIS

A frieza e insensibilidade de Machado de Assis é um problema literário que tem sido discutido e, como tudo o que se refere ao nosso grande escritor, merece estar sempre no terreno da discussão. A prosa de Machado é um tanto fria e seca. As personagens de seus romances e contos são, pela maior parte impassíveis, egoístas, sem calor no coração. O caráter do próprio escritor era distante, absconso. Logo conclui-se apressadamente, Machado era homem frio, egoísta e pouco sensível. Isso diziam e continuam a dizer muitos dos que se ocupam com o romancista de *Dom Casmurro*, fiados antes nas aparências que na realidade.

Muitos outros escritores da mesma estirpe de Machado foram igualmente apontados como frios e impassíveis. Mais duma vez se assinalaram os traços comuns existentes entre o brasileiro Machado e o francês Prosper Mérimée. Não fica mal a aproximação. É notável, não há dúvida, a similitude entre a prosa dos dois grandes estilistas: prosa sóbria, precisa, castigada, em ambos os casos. E acontece que Mérimée passava por homem árido, nada comunicativo. Homem glacial, dizia-se. Por quê? Porque a sua prosa era glacial e as suas aparências também eram glaciais. Como Machado de Assis, e antes deste, deixou fama de insensível e misantropo. Fama injusta, já se sabe, pois tanto um como outro só o eram em aparência. Mérimée foi homem de sociedade, teve bons amigos dos dois sexos e gostava de se cartear com esses amigos. Onde então a misantropia, que significa desdém aos homens e fuga do comércio humano? Mérimée era esquivo, tímido, concentrado, dizem os seus biógrafos. Nascera assim, e seu temperamento, semelhante ao de Machado de Assis, inclinava-se naturalmente a ser um desses céticos de nascença, por imperativo do próprio biótipo, aos quais a experiência da vida confere certo cinismo escarninho ou certo estoicismo amargo e que, sob a máscara da impassibilidade, escondem ardores, convicções, paixões e delicadezas de que jamais suspeita a maioria dos homens, sempre desatentos, eternos distraídos, que só têm olhos para aquilo que se escancara diante deles.

Outro próximo parente intelectual de Machado, o lúcido Stendhal, deixou nome também de impiedoso analista de almas, de escritor seco e cruel, de abominável anticristão, exaltador dos fortes e desprezador dos fracos.

Na verdade, a secura e a frieza são próprias daqueles escritores que se caracterizam pela *intelectualidade*, isto é, dos que usam a clareza e a ordem da inteligência na exploração dos mistérios da consciência e da subconsciência. Encontra-se em todos os que seguiram os métodos clássicos da análise psicológica. Não há motivo para serem acusados de insensíveis só porque não sentiram repugnância em dissecar a alma humana em todos os seus elementos, mesmos mais grosseiros, naqueles em que se acham os instintos animais.

A impassibilidade de Machado, como a de Mérimée e a de Stendhal, era talvez uma armadura necessária à própria defesa, como provavelmente o era a impassibilidade de Goethe, a sua proverbial "calma olímpica". O Goethe clássico dos últimos anos, especialmente, deixou fama de duro e frio como a pedra. Em realidade, esse burguês de gênio aprendera cedo a viver e tratava de evitar tudo o que pudesse atrapalhar a sua vida bem organizada, a sua liberdade de espírito, o seu trabalho e tudo quanto lhe parecia contrário ao livre e pleno desenvolvimento das faculdades criadoras.

Deixar-se ir vivendo é simples, mas saber viver, no meio da crescente complicação da vida em sociedade, é uma arte cada dia mais difícil. Goethe — sabe-se hoje - era um hipersensível, um ansioso. Camuflava, porém, a sua sensibilidade com aquela espécie de beatífica satisfação burguesa que lhe dava certo ar filisteu. A atitude olímpica era a sua carapaça. "Nada espero do mundo e aprendi a desesperar", dizia o escritor, nos seus últimos anos. E havendo aprendido a desesperar ou nada esperar, resolvera de alguma forma o problema da própria vida, achara talvez a palavra do enigma e afastara do seu caminho a esfinge que nos devora a todos.

Mestre na arte de viver, Goethe decidira poupar-se a si próprio, isto é, não ser vítima de seus semelhantes. Numa de suas cartas escrevia:

"*Inscrevi na minha ordem do dia a máxima seguinte: numa época que nada conserva nem poupa, é a si mesmo que cada um deve poupar. No meio da desesperação geral, empurremos o nosso tonel de Diógenes...*"

Para se livrar dos importunos, que como moscas se introduziam no seu tonel, o poeta recorria, quando era preciso, a uma heroica falta de educação. Sistematicamente não respondia senão às cartas em que lhe ofereciam alguma coisa, e não se considerava obrigado a estimular os jovens poetas com bons conselhos ou a ajudá-los com recomendações. Quando as visitas não o interessavam, mergulhava num silêncio tumular, respondendo às perguntas com monossílabos e até com simples resmungos guturais ou um pigarrear característico. Temia os *cacetes*, julgando-os mais nefastos à saúde que os resfriados e as indigestões. Não gostava dos derramados, detestava os indivíduos que têm opiniões definitivas sobre todas as coisas e, tal qual como o nosso Machado, tinha "tédio à controvérsia". Também, como aconteceria depois a Machado, Goethe foi alvo de censuras por viver como um super egoísta, metido no seu tonel, indiferente aos fatos nacionais, às vicissitudes do seu país.

Que fazia o grande poeta enquanto a sua pátria agonizava em Leipzig? Estudava, com toda a pachorra, a geografia... da Índia. A mesma acusação de indiferença coube, também, a muitos outros homens superiores. No mais aceso do canhoneio de Iena, o filósofo Hegel escrevia meditadamente as últimas linhas da *Fenomenologia do Espírito*. Durante a luta da Alemanha contra Napoleão, Schopenhauer preparava tranquilamente a sua tese de doutoramento em Filosofia: *Da Quádrupla raiz do princípio da razão suficiente*. E pode ainda lembrar-se, entre centenares de ilustres exemplos, o de Lacépède, que em pleno desvairamento da Revolução Francesa compôs a sua notável *História dos Peixes*.

Egoístas? Egotistas? Vá lá. Todos os homens o são, organicamente. Mas não se trata disso. O caso é que o lugar próprio para o guerreiro é o campo de batalha, mas não para o homem de estudo, para os que se empregam em atividades pacíficas, especialmente se já passaram da *idade militar*, isto é, da mocidade, pugnaz e beligerante. O homem cordato, homem de paz, sem permanecer insensível às lutas e penas dos demais indivíduos ou indiferente aos problemas da sociedade a que pertence, deve rolar o seu tonel, cautamente, por entre o tumulto das multidões, agitadas pelas paixões da tribo.

A lição a seguir é a de Goethe e a de Machado de Assis, como o foi, muitos séculos antes, a de Lucrécio, poeta "sem Deus, porém divino", tão admirado pelo grupo dos poetas de Weimar. Vivendo numa época particularmente tumultuosa, em meio de perigos e alarmes, Lucrécio pregoava uma filosofia de tranquilidade e de paz, aconselhava os homens a aceitarem os acontecimentos com espírito equânime, sem ambições nem paixões.

Dir-se-á que não há espíritos equânimes e que não é possível viver sem ambições nem paixões. Certamente. Em todo o caso, num mundo movido pela cega vontade de domínio, cuja ordem repousa sobre o ludíbrio das consciências, o conformismo, a coação, a injustiça, a violência e a guerra, — porque não hão de alguns salvaguardar a dignidade da própria consciência e realizar com liberdade de espírito, sem agressividade, a tarefa em que se empenham?

A GAGUICE E A TIMIDEZ DE DOM CASMURRO

Machado de Assis era muito gago, mas quando estava de boa veia tornava-se um conversador fluente e agradável. É o que nos diz a escritora Lúcia Miguel-Pereira no seu livro sobre o romancista de *Dom Casmurro*. A propósito, conta-nos a seguinte anedota:

Apresentando uma noite à grande atriz brasileira Ismênia dos Santos, famosa naquela época, Machado palestrava animadamente no camarim da artista quando esta, irrefletidamente, teria exclamado em tom de surpresa:

— "Ora veja, Seu Machado, tinham-me dito que o senhor era tão gago, e entretanto fala muito bem!

E ele gaguejando terrivelmente:

— Calúnias, minha senhora, calúnias. A mim também me avisaram que a senhora era muito estúpida, e vejo que não é tanto assim!"

Sem as qualidades do estilo de linguagem, Machado de Assis não seria provavelmente tão admirado como ainda é hoje, e talvez já estivesse esquecida a sua obra de psicólogo e moralista, de poeta e ficcionista. Clara, breve, contida, matizada, a linguagem de Machado era, a bem dizer, uma exceção, entre os escritores brasileiros de sua época, geralmente profusos, derramados, superabundantes. Os estilos enxutos, como os homens enxutos, têm a vida longa. É por isso que o estilo do prosador de *Quincas Borba* não envelhece e é mais atual hoje do que ontem.

Referindo-se a essa qualidade de estilo, disse um mestre estilista, Paul Valéry:

"O estilo seco atravessa os tempos como uma múmia incorruptível, enquanto os outros, refertos de gordura e sobrecarregados de atavios, apodrecem nas suas joias. Retiram-se mais tarde, alguns diademas e alguns anéis dos sepulcros."

E é só.

Pois bem, a maior virtude da obra de Machado, a excelência do seu estilo, tornou-se motivo de desapreço na opinião do seu detrator Sílvio Romero. Veja-se até que ponto conduz a avessa intenção dum crítico hostil! Aludindo, com evidente má vontade, à gaguez de Machado de Assis, escreveu o crítico sergipano:

"*Vê se que ele apalpa e tropeça, que sofre de uma perturbação qualquer nos órgãos da palavra. Sente-se o esforço, a luta. Ele gagueja no estilo, na palavra escrita, como o fazem outros na palavra falada.*"

Vai daí, logo notaram outros que, em verdade, poderia existir uma correlação entre as pausas respiratórias do escritor e a sua maneira de escrever. Assim sendo, o estilo breve, cortado, reticente, de Machado de Assis trairia exatamente a dificuldade com que falava.

A explicação pode parecer convincente à primeira vista, mas é fácil encontrar exemplos que a contrariam. O primeiro que nos ocorre é o de Cervantes, gago, tipo do escritor cursivo, fácil, abundante. Gaguejava na palavra falada, mas na escrita exprimia-se sem tropeços, com extraordinária fluência. O eminente historiador literário Don Marcelino Menéndez Pelayo seria mais orador do que propriamente crítico, na opinião de Unamuno, que assim o considerava pelo caráter doutrinário e pragmático do seu pensamento, a que se ajustava o seu estilo amplo, eloquente. Don Marcelino era, entretanto, meio gago e, por causa disto, manteve-se invariavelmente calado durante o tempo em que pertenceu ao Parlamento espanhol.

O estilo curto, é hoje comum às letras e especialmente no jornalismo. É até o mais comum. Ora bem, se tivéssemos de aplicar a teoria das pausas respiratórias ao estilo picadinho dos nossos jovens prosadores — o estilo picadinho com batatas, conforme o definiu Aires da Mata Machado Filho — teríamos de concluir que sofrem todos de asma, sem exceção.

Sílvio Romero partiu duma falsa analogia — a gaguice — para depreciar o estilo do máximo prosador brasileiro. Em outra falsa analogia — a timidez — baseou-se Medeiros e Albuquerque para negar à obra machadiana o alento de criação verdadeiramente grande. Disse Medeiros do pai de Capitu:

"*Nestas condições, Machado de Assis, vivendo sempre num círculo restrito, conhecendo muito pouco do mundo, analisando apenas pequenos personagens do pequeno meio em que passou todo o seu tempo e sendo, por índole, um tímido, deixou uma obra de tímido; não há nele nenhuma vibração forte, nenhuma grande criação.*"

Sumário, o juízo de Medeiros. Por demais. Na realidade todo o romance contemporâneo é isso justamente: a análise de pequenos personagens e de pequenos fatos do pequeno meio em que se move o romancista, quase sempre um homem de dimensões comuns.

O romance moderno, ou quando nada, a parte mais significativa do romance moderno, é a epopeia da mediocridade, em que não entram heróis, mas homens e sub-homens, feitos da argila comum.

Quanto ao argumento da timidez, é igualmente fragílimo. Grandes tímidos foram Vergílio, Rousseau, Chateubriand, Stendhal, Mérimée e outros, mais tímidos ainda do que Machado de Assis. Seria muita audácia arriscar que na obra desses autores não se encontra vibrações fortes, nenhuma grande criação.

Outra fraqueza apontada por Medeiros e Albuquerque na obra de Machado; a de que não era perdurável, porque, para tanto — dizia Medeiros nas *Páginas de crítica* — teria de ser escrita por alguém que houvesse vivido intensamente, o que não se dera com Machado de Assis, cuja existência transcorrera apagada e monótona, paupérrima em acontecimentos interessantes.

É outro argumento fácil de contestar. A experiência literária é em grande parte uma experiência intuitiva, quase de adivinhação, sem relações necessárias com a vida prática. Medeiros e Albuquerque, excelente escritor, viajou muito, teve uma existência movimentada, voltada para fora, viveu intensamente a vida, e entretanto deixou uma obra efêmera, dispersiva, de jornalista e comentarista enciclopédico. A obra de Machado, ao contrário disso, voltada para dentro, atenta à psicologia do ser humano, aos mistérios do coração, às cores do tempo e à transformação dos costumes, continua cada vez mais lida e mais admirada.

Os homens de ação vivem a vida intensamente. Os contemplativos constroem no plano da ficção a vida que não saberiam ou não poderiam viver. O erro é generalizar, como o fez Medeiros, e como o fizera antes Taine, ao dizer que faltara a Flaubert, para ser grande escritor, não ter tomado parte na vida de sociedade, não ter frequentado redações de jornais, etc.

Dissemos que a experiência literária é quase de adivinhação, e na maioria dos casos não é outra coisa. Pierre Benoît descreveu com perfeito realismo, em *Koenigsmark* e na *Atlântida*, uma pequena corte alemã e o misterioso país de Atineia, sem jamais ter posto os pés nem na Alemanha nem nas terras dos Tuaregues.

Gastão Cruls, antes de escrever *A Amazônia que eu vi*, contou as "bem observadas" e as "vívidas" histórias da *Amazônia misteriosa* tiradas da imaginação. Catulo da Paixão Cearense era um poeta sertanejo que nunca fora ao sertão (ao que se dizia), e nem por isso menos vivo e poeticamente verídico nos seus poemas de inspiração matuta.

Júlio Verne nunca precisou de sair do cantinho em que morava (antes de ter um *yatch*) para escrever as suas "viagens maravilhosas", tão exatas pelo menos, quanto as narradas pelos *globe-trotters* de Kodak a tiracolo e lápis em punho. Também Machado de Assis não teve necessidade de largar o seu remanso de Cosme Velho para viajar através das almas e fixar a paisagem humana no Rio de seu tempo, em livros definitivos.

RIANCHO, ESQUECIDO

A obra do pranteado Brito Broca, *Pontos de referência*, recentemente editada, tem para mim, ademais do seu valor próprio, uma significação afetiva: a de ter sido organizada ainda em vida do escritor tragicamente desaparecido, a quem me prendia fraternal amizade.

Percorri, com emoção aquelas páginas, e foi como se estivesse ouvindo o Brito em carne e osso, nas longas conversas que com ele costumava manter nas idas ao Rio. Mágico contágio da palavra escrita: o querido amigo permanecia bem vivo ali nas palavras que a sua mão traçara e se gravavam com nitidez na minha retentiva.

Bem intitulada, a obra. Em cada uma das suas páginas há uma referência valiosa, uma notação justa, uma notícia literária digna de menção. Como sabia coisas, o Brito! Sabia muitas e gostava de levantar lebres no campo das letras.

Perdeu uma, no entanto. E aqui quero justamente chegar neste artigo.

O caso é que há umas páginas da obra que se referem à viagem de Coelho Neto a Ouro Preto, em 1893, feita na companhia de Alfredo Riancho. O nome desse companheiro de viagem aparece várias vezes nos artigos que Coelho Neto publicou na imprensa periódica do Rio, aquele mesmo ano, sob o título de *Por montes e vales*, recolhidos posteriormente em volume. E na ocasião se haviam refugiado em Minas, fora do alcance do estado de sítio decretado por Floriano, alguns confrades do escritor: Olavo Bilac, Patrocínio, Emílio Kouède, Magalhães de Azeredo, Valentim Magalhães... Três ou quatro, sob nomes supostos ou reais, figuram nos artigos passados depois a livro, ou entram no romance *O Morto*, cuja ação transcorre em ambiente do interior mineiro. Menos Bilac, amigo do autor, e a omissão causa estranheza a Brito Broca, que, por outra parte, não identifica Riancho. Era acaso o Bilac, sob disfarce? Não era. Riancho, segundo Coelho Neto, anda absorvido pelas suas inclinações musicais, e Bilac não era músico. O nosso Brito arrisca então uma hipótese: — *"Riancho seria, naturalmente, Emílio Rouède, o secretário da "Cidade do Rio", francês naturalizado, boêmio incorrigível e homem dos sete instrumentos — músico, pintor, autor teatral, jornalista, romancista — e que veio a falecer, muitos anos depois, quase na miséria, em Santos"*.

Alfredo Riancho era Alfredo Augusto da Costa Camarate (1840 - 1904), lisboeta de nascimento, educado em Portugal e na Inglaterra e que se tornou brasileiro adotivo desde que fixou residência no Brasil aos trinta e dois anos de idade. Da terra natal trouxe uma carta de engenheiro-arquiteto e um certificado de primeiro prêmio de flauta pelo Conservatório Real de Lisboa. Escreveu copiosamente na imprensa do Rio e de São Paulo e colaborou em jornais de Buenos Aires, Ouro Preto e outras partes, firmando seus artigos com o nome de Alfredo Camarate, Alfredo Riancho e Júlio Huelva. Riancho era um dos sobrenomes do pai, que se chamava Augusto Riancho Camarim da Costa Camarate.

O musicista e escritor Américo Pereira em seu excelente livro *O maestro Francisco Vale*, deu-nos em uma extensa nota os principais traços biográficos de Alfredo Camarate, "*o primeiro jornalista que no Rio de Janeiro iniciou a crítica musical*", segundo a opinião da Gazeta musical transcrita por aquele escritor, que aduz no mencionado livro: — "*Alfredo Camarate — o fundador da crítica musical no Brasil — teve o mais completo domínio que um homem pode exercer sobre o público. Fez e desfez reputações...*"

Homem viajado e culto, espírito versátil, abordava assuntos de erudição, arte, viagens, etc., numa prosa leve, jornalística, onde havia o intento de ensinar e divulgar, sem pedantismo e quase sempre com uma ponta de bom humor, um pouco ao jeito de Ramalho Ortigão, mestre de toda uma geração de jornalistas literários de Portugal e do Brasil. Espalhou pelos jornais matéria suficiente para dezenas de alentados tomos; mas, que me conste, só publicou um livro: *Et Coetera* (Rio,1887) mosaico de vários assuntos, obra que por acaso encontrei num "sebo" do Rio, faz pouco.

Deixando o Jornal do Comércio onde trabalhou cerca de trinta anos, peregrinou pela imprensa do país e dispersou o seu talento nas colunas do *Jornal do Brasil, Gazeta de Notícias, Industrial*, e outras folhas. Em abril de 1832, achava-se em Ouro Preto como representante da "*Gazeta de Notícias*" nas festas oficiais em honra do Tiradentes. Os artigos que enviara para a Gazeta, com as suas impressões de jornalista visitante, são dos mais interessantes que já se escreveram sobre a antiga capital mineira. O *Minas Gerais* reproduzia todos à medida que apareciam naquele jornal carioca. Nota Camarate em um artigo, que Ouro Preto é uma das capitais que, na proporção dos seus habitantes, maior número de pianos contém, Sim, mas... desafinados. Vai daí, em outro artigo, ensina como se deve afinar e conservar afinados esses nobres instrumentos martelados com mais ou menos brio pelas meninas prendadas da Vila Rica. Escreve ainda sobre o merecimento dos músicos mineiros, seus conhecidos de havia muito, e sustenta ser o Estado de Minas a Itália do Brasil.

Ficará por ali mesmo. Bota anúncio no *Minas Gerais:* — *Alfredo Camarate, professor de piano e teoria musical.* Isso à véspera da promulgação da lei que estabeleceu a mudança da Capital do Estado para a cidade a construir-se no antigo arraial do Curral del Rei, já então denominado Belo Horizonte.

No ano seguinte, o jornalista está aqui havendo chegado com os homens da Comissão Construtora da Nova Capital. Belo Horizonte é a fascinante Brasília daquele fim de século. Os pessimistas condenam a sua construção como obra de megalomaníacos fadada a completo malogro. Os otimistas creem no seu futuro e já a vislumbram como uma metrópole magnífica, digna do século que se aproxima. O tempo dá-lhes razão. Custa a dar, mas dá.

Camarate recebe favorável impressão do arraial. Gente em grande parte magra, tipo digestivo, amigo do bom passadio. Os sítios parecem-lhe aprazíveis. O clima, a julgar pelo apetite seu e dos companheiros, deixa a perder de vista o da Sicília, ou de Nice ou da Madeira.

Escreve uma longa série de artigos, dando suas impressões, na *Gazeta de Notícias* e no *Minas Gerais*, até entrado o ano de 1895, sob o título geral de *Por montes e vales*, o mesmíssimo usado por Coelho Neto para as suas impressões de viagem a Ouro Preto e Vassouras, já mencionadas. Os artigos referem-se às particularidades do arraial, seu povo e seus costumes, a igreja matriz e suas pomposas festividades religiosas, às vozes das mulheres que ouviu cantar no coro, aos papudos que viu (em menor número do que se dizia), ao mísero e único hotel local, aos homens da Comissão Construtora e a muitas coisas mais. Nada menos de meia centena de artigos, que oferecem hoje curiosa leitura como depoimentos sobre o expirante Curral del Rei e a fase ainda embrionária da atual metrópole mineira.

Eu tinha lido alguns, há muito. A nota de Américo Pereira, a que aludi, despertou-me a curiosidade de ler todos eles, o que fiz, tendo então atentado nisto: Alfredo Riancho (aliás Alfredo Camarate) foi o primeiro cronista de Belo Horizonte, antes mesmo de se fundar a imprensa nesta cidade. O primeiro não só em data como pelo interesse das páginas que deixou escritas. E esta é a quarta vez que através de meus artigos me ocupo com o cronista e seus escritos.

Quem se lembra dele? Há centenas de ruas em Belo Horizonte, com nomes de pessoas sem qualquer expressão. Nenhuma com o de seu primeiro cronista. E não há dúvida que o esquecido Riancho merece a homenagem.

ALFREDO CAMARATE E A
NOVA CAPITAL MINEIRA

O nome de Alfredo Camarate não diz nada ao leitor de hoje. Foi entretanto o de um talentoso jornalista e crítico musical, muito conhecido e festejado nas três últimas décadas do século passado e primeiros anos do atual. Na obra de Abílio Barreto, *Belo Horizonte; Memória histórica e descritiva*, é Camarate lembrado em algumas páginas, já como jornalista, já como arquiteto e construtor, na ocasião de sua vinda para a nascente nova capital mineira, em 1894, com os engenheiros, arquitetos, empreiteiros e operários que iniciaram a construção da metrópole em projeto, alguma coisa assim como a Brasília daquele fim de século.

Américo Pereira em sua obra *O maestro Francisco Vale**, (que se recomenda à atenção dos musicistas brasileiros e sobretudo mineiros), consigna em nota, com a devida precisão, os principais traços biográficos de Camarate, a quem designa como "o fundador da crítica musical no Brasil".

Nascido em Lisboa, em 1840, Alfredo Camarate emigrou para o Brasil aos 32 anos de idade e aqui viveu até seu falecimento aos 64 anos. Trouxera da terra natal uma carta de engenheiro-arquiteto e um primeiro prêmio de nauta pelo Conservatório Real da Capital Portuguesa. Fixando-se no Rio de Janeiro, tornou-se brasileiro de coração, exerceu o cargo de inspetor do Conservatório Imperial de Música e foi, durante muitos anos, o crítico musical e artístico do *Jornal do Comércio*. Escreveu copiosamente na imprensa do Rio e de São Paulo e colaborou em jornais de Buenos Aires, Ouro Preto e Sabará, versando assuntos de educação, arte, viagens, etc. Traduziu livros e deixou Composições musicais para piano.

Homem viajado e culto, espírito versátil, conhecia vários idiomas e escrevia o nosso com desenvoltura e graça. Firmava seus escritos de imprensa com diferentes pseudônimos e, mais comumente, com o de Alfredo Riancho, sendo este um dos sobrenomes de seu pai, que se chamava, por extenso, Augusto Riancho Camarim da Costa Camarate. Olavo Bilac, numa carta jocosa a Afonso Arinos, em que pastichava as velhas épocas de

---
*. Gráfica Laemmert, Ltda., Rio, 1962.

altas linhagens e nomes de perder o fôlego, debicava o seu confrade português, chamando-lhe Riancho de Camarim Camarote Camarote y Belotas de S. Tomé de Riba-Acima.

Num alfarrabista do Rio encontrei um volume de sua autoria, intitulado *Et coetera*, in-8° (18x12 cm), 293p + 7 inum., edição de Adolfo de Castro Silva & C., Rua da Quitanda, 115, Rio de Janeiro, 1887. Compõe-se de vários escritos de arte, perfis zoográficos (O Burro, o Gato, o Mosquito, o Cão e o Touro) e uma página sobre chapas literárias, oratórias e musicais. Não se acham referências a este volume nos dicionários bibliográficos de Inocêncio, Sacramento Black e Velho Sobrinho.

Alfredo Camarate faleceu pobre, em São Paulo, a 27 de janeiro de 1904, conforme se lê na citada obra de Américo Pereira.

Aqui o estou recordando, como é de justiça recordar quem foi o primeiro cronista de Belo Horizonte. O primeiro cronista, em data. O segundo, também em data, seria o "Nemo", pseudônimo de Azevedo Júnior, redator da segunda folha periódica surgida aqui, em 1896.

O *Minas Gerais*, órgão oficial dos poderes do Estado, inseria pouco depois do seu aparecimento, em 1892, colaboração de Alfredo Riancho, continuada, no ano seguinte, com uma série de artigos, intitulada "*Por montes e vales*", que se prolongaria pelo ano de 1894. Note-se que o título é o mesmo do livro de viagens a Ouro Preto e Vassouras, de autoria de Anselmo Ribas, pseudônimo de Coelho Neto, companheiro de Camarate na sua excursão a Minas em 1893.

Já então se achava o jornalista em Belo Horizonte, tendo chegado com os homens da Comissão Construtora da Nova Capital. A viagem se fazia por estradas de ferro, bitola larga, do Rio a Lafaiete, de onde, após baldeação, os viajantes seguiam pelo ramal de bitola estreita até Sabará, ponto terminal da linha férrea. Aposentou-se ali na única hospedaria da cidade, o "Clarck's Hotel", nome que o impressionou bem, pois vivera alguns anos na Irlanda, admirava tudo o que tinha pinta britânica e era provavelmente um pouco *snob*. O hotel, sito na banda de cá do Rio das Velhas, não o decepcionou. De lá a Belo Horizonte completava-se o percurso em lombo de mula ou a cavalo. À passagem por Marzagão notou a existência ali de uma fábrica de tecidos, então uma novidade no interior do país. Estrada lindíssima na opinião do viajante: "Caminhamos como se fosse pelo meio de extensas alamedas de jardim".

Ao cabo de quatro horas de viagem, entrava o jornalista pela Rua de Sabará, a mais extensa do arraial, com as suas velhas casas esparsas de pau-a-pique, cercadas algumas de antigos muros de adobes ou taipa, e que se estendia do lugar denominado Cardoso, junto ao Ribeirão dos Arrudas (começo de Santa Ifigênia, hoje) ao largo da Matriz da Boa Viagem.

Sua primeira impressão do povoado? É a de um povo bom e hospitaleiro, mais inerte. Ninguém se havia preparado para receber condignamente os forasteiros, que chegavam de braços dados com a fortuna, anunciando dias prósperos e um futuro promissor.

"*As poucas e mal fornecidas vendas (considerava) não se premuniram nem de qualidade nem de quantidade de gêneros, proporcionados ao número e categoria dos recém-chegados; nem o êxodo de centenares de pessoas, caídas aqui de todas as partes do Estado, despertou os desejos de ganância, tão fáceis de despertar em qualquer parte do mundo. Um fazendeiro abriu hotel, a instantes rogos de seus amigos e o mantém, com a independência de quem está fazendo um favor a seus hóspedes; os proprietários de prédios, a muito custo caiaram a fachada dos seus modestos casebres e, para se ver como aqui se faz errada ideia do que são as exigências da higiene e do moderno "confortable", basta dizer que são raríssimos os quartos de cama que tenham como soalho outra coisa que não seja a terra vermelha da localidade, molhada e batida por processos primitivos*".

Todos se queixam do pó vermelho e amarelo que sobe em redemoinhos e as constantes lufadas de vento precipitam em espessas nuvens nos quatro cantos do decadente Curral del Rei. Iniciados os trabalhos de terraplenagem, em cortes, desaterros e nivelamentos, o pó levantado dá à atmosfera uma tonalidade de bruma ocrácea e é o flagelo permanente dos habitantes da futura capital. Poeirópolis — tal o epíteto que lhe foi dado e que merecerá durante algumas décadas. Para enfrentar a poeira, os que podiam andavam de botas e guarda-pó. Quem não podia, usava coturnos baratos, de tipo militar. E o pó desaparecia, na época das águas, para dar lugar a lamaçais e atoleiros.

O clima, sim, é dos mais agradáveis: temperatura amena, sempre fresca à noite, mesmo no tempo do calor, atenuado pelas frequentes virações. Camarate respira deliciado os ares puríssimos destas verdejantes colinas, embalsamadas pelos perfumes resinosos das florestas próximas. Seu robusto apetite lusitano torna-se mais tirânico. "*A julgar pela quantidade que ingiro de alimentos* (escreve), *o clima de Belo Horizonte deve deixar a perder de vista o da Sicília, de Nice ou da Madeira! E pela mesma rasoeira passam todos os demais comensais, que tenho por companheiros*".

Para tanto, em nada contribuíam a arte culinária e a variedade do "menu" servido no hotel. Ao almoço comia-se feijão, arroz, carne-de-vento e, às vezes, fresca, batatinhas fritas e café. Ao jantar, a mesmíssima coisa. Pão? O curralense não estava habituado a essa "quitanda", como a designava. Quando o havia, era feito por uma família que sem muita convicção consentia em ganhar dinheiro com intermitentes fornecimentos e tão só por dedicação e favor. Não era pois fora de alguma razão a queixa do jornalista: a população local não estava preparada para receber o luzido exército de engenheiros, arquitetos, mestres-de-obras, médicos, empregados de escritório, empreiteiros, oficiais de diferentes ofícios, carroceiros e mais trabalhadores, que já naquele mês de março de 1894 trabalhava intensamente na demolição do velho burgo e edificação de uma *urbs* moderna.

Talvez. Mas, quem sabia lá? Os prudentes, timoratos curralenses agora o havia, transmudados em horizontinos, olhavam desconfiados para tudo aquilo. Era o progresso? Quem sabia lá o quinhão que acaso lhes tocaria nele? Eram gente de confiança, os forasteiros? *"Vendo-os passar, naquela atividade, pelas ruas do arraial, os horizontinos ficavam admirados, com imensa interrogação no olhar, como que a perguntar: Que irão fazer aqueles homens de botas, com tantos instrumentos e feixes de estacas e operários por esses campos, serras e baixadas do arraial? Que destino irão dar às nossas propriedades? Será que eles porão tudo abaixo?..."*
E concluía:
"Dias angustiosos foram aqueles para os filhos de Belo Horizonte".

As desapropriações, como era natural, causaram descontentamentos, mas afinal tudo se arranjou em paz, com especial satisfação dos que souberam tirar proveito do novo estado de coisas.

Corria dinheiro e talvez por isso a vida era cara. Dizia-se que o pessoal da Comissão Construtora ganhava ordenados elevadíssimos. Camarate protestava contra os que tal asseveravam: *"se aqui viessem, verificariam que a vida é perfeitamente impossível: sobretudo para aqueles que exercem segundos e terceiros lugares nessa Comissão"*. Uma banana - espantava-se — custava duzentos réis! Preço de uma dúzia em outras partes. E era um vasto pomar, o arraial.

O povo pareceu-lhe doentio, em desarmonia com a salubridade do clima. Gente magra, pálida, o ar enfermiço, em grande parte. Muitos raquíticos e aleijados. O povo alimentava-se mal, era a explicação do jornalista. E os célebres papudos? Não havia papudos, diziam os partidários da mudança da Capital para o Curral del Rei. Havia-os, sim, retrucavam os contrários. Camarate depõe: *"Tenho encontrado talvez uns 15 ou 20, e isto nas grandes aglomerações que têm produzido as festas da Semana Santa"*. A proporção, declara, não era assustadora; mas ainda assim, asseguravam-lhe vinham quase todos de uma localidade distante. O certo é que havia muitos por estas bandas de Minas. Circulava até uma cantiga, que fazia a apologia da papeira:

> *O papo pra ser bonito*
> *Tem de ser de três caroço:*

113

Um de um lado, outro de outro
E um no meio do pescoço.

Apesar de relativamente pobre, o arraial fazia as suas solenidades religiosas *"com uma pompa natural e espontânea, muito de ver-se e admirar-se"*. A procissão do Enterro *"era sobretudo de um efeito imponente e comovente, pelos milhares de velas que a acompanhavam e que, na cauda do préstito, formavam um grande foco luminoso, que parecia lutar, com vantagem, com o esplêndido luar que iluminava aquela noite".*

A velha Matriz era feia, mas tinha belos altares com talha dourada e interessantes pinturas no teto. O jornalista, crítico musical que era, elogiou as vozes das mulheres que cantavam no coro.

Uma das suas páginas mais curiosas é a de um velório a que pôde assistir aqui. Todas as outras merecem leitura e valem como preciosos depoimentos sobre o expirante Povoado de Curral del Rei e a fase ainda fetal da nova capital de Minas.

Na concorrência pública para a construção da estação de General Carneiro, ultimamente demolida pelos vândalos do bota-abaixo, venceu a firma comercial de Edwards, Soucasaux e Camarate. Referindo-se ao fato, em artigo para o *Minas Gerais* de 12 de agosto de 1894, o cronista gizou em rápidos traços os retratos dos seus sócios, Eduardo Edwards, brasileiro, filho de inglês, comerciante de há muito estabelecido em Belo Horizonte, e Francisco Soucasaux, português, artista e construtor, um dos homens que mais ajudaram na edificação da nova capital mineira. E esboçou também o seu próprio retrato, perfilado nestes termos:

"O terceiro dá pelo nome de Alfredo Camarate, foi educado na Inglaterra, mas detesta bebidas alcoólicas. É baixo e calvo (os calvos estão em maioria nesta razão social). É arquiteto e com pergaminho; mas, sobre a sua competência arquitetônica, esquivo-me a dizer palavra, porque Alfredo Camarate é o mais íntimo e fiel amigo, para quem não tenho segredos, nem arrufos, ganhando e gastando ambos, como se a bolsa fosse comum..."

Tivemos já ocasião de sugerir pela imprensa a ideia de se imprimirem em livro as crônicas de Alfredo Riancho - nada menos de quarenta, publicadas no *Minas Gerais* —, onde se acham depoimentos de interesse para a História de Belo Horizonte. Cabe à Prefeitura da cidade fazê-lo. Fora do alcance da picareta dos empreiteiros de demolições — dizíamos então —, o livro seria por certo um monumento mais duradouro do que a malaventurada estação de General Carneiro, que teve em Camarate um de seus construtores. Note-se, ainda, que não há em Belo Horizonte uma rua que recorde a personalidade de Alfredo Camarate, quando tantos nomes insignificantes estão ligados a logradouros públicos da cidade.

OUTROS ESCRITORES

DOIS ROMANCISTAS DA TERRA MINEIRA

1. AMADEU DE QUEIRÓS

A Bernardo Guimarães e Afonso Arinos, mestres da narração entre os escritores nascidos em Minas Gerais, sucederam três outros narradores mineiros excepcionais: Amadeu de Queirós, Godofredo Rangel e Gilberto de Alencar. Destes três, só Godofredo Rangel figura em uma história literária de largo âmbito, como é *A literatura no Brasil*, dirigida por Afrânio Coutinho, nas linhas dedicadas nessa obra aos ficcionistas mineiros, De Amadeu de Queirós e Gilberto de Alencar nem os simples nomes são mencionados — omissão imperdoável, quando outros, menos importantes, são lembrados ali.

Omissão imperdoável, dissemos. A literatura nacional não é tão rica em ficcionistas a ponto de que se passem por alto dois nomes que os especialistas da história da arte narrativa no Brasil tinham a obrigação de conhecer.

De nossa parte, colocamos Amadeu de Queirós e Gilberto de Alencar entre os nossos narradores de maior cabedal, autores de páginas que não podem ser esquecidas, nas quais se fixara, com arte consumada alguns dos costumes mais típicos da terra e da gente de Minas.

Penso em Amadeu de Queirós. Conheci-o em 1946 por ocasião de sua rápida permanência em Belo Horizonte, onde viera em visita a parentes e amigos. Falamo-nos uma única vez e a impressão que me deixou foi a de um espírito singularmente alerta, dos mais vivos nos seus 73 anos sólidos, figura de longilíneo, escanzelado e sem carnes, a face resseca ornada com um esboço de bigode, tipo do mineiro como era descrito pelos primeiros viajantes estrangeiros que visitaram o território das Minas Gerais. Dava uns ares com Eça de Queirós e era efetivamente emparentado com o escritor português. Excelente conversador, irrequieto e brincalhão, gostando de pilheriar, dizia-se sem compromissos de qualquer natureza, escrevendo como sabia e lhe aprazia, nada o obrigando a seguir normas consagradas.

Queixava-se dos grupos e corrilhos literários, que em São Paulo, onde vivia, dominavam a literatura, o que evidentemente não era uma novidade paulistana. Era um incomparável contador de "causos", que sacava de suas riquíssimas reminiscências de homem nascido no mesmo ano em que vieram ao mundo Santos Dumont, Santa Teresinha e Caruso.

— Afinal de contas, dizia ele, um homem que assistiu à abolição da escravatura, à proclamação da República, à passagem da estrela do Oriente, a mesma que guiou os Reis Magos e cruza o céu de 300 em 300 anos, e viu a primeira demonstração do fonógrafo realizada no Brasil — afinal esse homem tem alguma coisa para contar!

Aos oitenta anos de idade — oitenta anos ainda rijos — continuava a produzir jovialmente, com secretas esperanças no futuro e "até que o diabo me chame a prestar contas da pinga que bebi", conforme declarou a um repórter que o entrevistara na ocasião.

Penso em Amadeu de Queirós (1873-1955), nascido em Pouso Alegre e falecido em São Paulo. Menino pobre, não teve colégio nem mestres, mas em compensação era dotado de uma voraz apetência de leitura. Viveu em sua cidadezinha natal até os quarenta e cinco anos e foi, ali, prático de farmácia, boticário, curandeiro, juiz de paz, político da oposição, jornalista, criador de porcos e plantador de milho. Começou a escrever cedo: perpetrou uns versos e ensaiou o conto regional, gênero de que foi um dos precursores, ao findar do século. Não tardou em abandonar a literatura e nada escreveu durante vinte anos. Já bem entrado na quarentena, e residente na capital de São Paulo, determinou-se a seguir verdadeiramente a sua vocação de escritor.

Seu primeiro romance, *Praga de amor*, alcançou certo êxito de estima. Embora inédito até aquele momento, o mineiro Amadeu era conhecido e ouvido como mestre de apurado gosto literário, rodeado sempre de jovens poetas, ficcionistas e ensaístas paulistanos, reunidos às tardes na Drogaria Baruel, da qual era sócio o antigo boticário de Pouso Alegre. Veio depois um romance histórico, *O Intendente do Ouro*, obra malograda. Posteriormente, em 1938, apareceria o romance *A voz da terra*, bem recebido pelo público e pela crítica. Assim é que o Sr. Nelson Werneck Sodré, autor da *Síntese do desenvolvimento literário do Brasil*, não vacilou em escrever que aquela obra, *"onde existem cousas semelhantes ao melhor Pesquidoux, ainda será assinalada como um dos monumentos da ficção brasileira de todos os tempos"*.

Por aqueles dias, o inesquecível Brito Broca publicava em *A Gazeta de São Paulo* uma série de entrevistas com homens de letras, destinadas a sair depois em livro, conforme chegou a ser anunciado. Das mais interessantes foram as confidências de Amadeu de Queirós, sobretudo no que dizia respeito ao seu modo de entender o romance bucólico ou o romance regional. *A voz da terra* revelava um conhecimento muito pessoal da vida rural, em meio da qual nascera e vivera até a meia idade. Mas da sua experiência não ressumava o pessimismo agreste a que o neo-realismo dos ficcionistas regionalistas do Nordeste nos havia acostumado. Uma difusa atmosfera poética, com cheiro de pasto e campo, envolvia as páginas do seu romance, contagiando o leitor de um brando sopro melancólico. Quis o romancista mostrar, como então confessou, que no Brasil o romance pode ser feito sem escabrosidades? Assim o declarou. Bucolismo mineiro? *"Sem dúvida, o mineiro é bucólico. Não podemos fugir a esse feitio"*. Assim o disse.

"Em Minas (explicou), a vida do homem do campo é toda de espera. As habitações erguem-se geralmente nos vales; o campo fica lá no fundo da grota. O sol já está alto quando ainda não apareceu para ele; à tarde, esconde-se mais cedo, deixando-o mergulhado na penumbra em um longo crepúsculo. Além disso, sujeito às condições da vida pastoril, ele está sempre esperando: espera que a cria nasça, que cresça, que as reses aumentem, Esse homem assim, dentro de uma paisagem grandiosa, fica naturalmente cismativo, começa a ver a existência de perto, a voltar-se sobre si mesmo. Aguça-se-lhe a consciência da pequenez humana. Daí a tristeza, a melancolia, o bucolismo".

Admitamos que o homem do campo, ao voltar-se para si mesmo, cisme no indecifrável sentido da própria existência mofina e sempre igual, matute nos males e trabalhos já passados e nos que hão de vir, e espere, espere sempre, ansioso, na insegurança e no temor, até a hora da morte, que é a da verdade. Se vive, sentindo-se viver, suas cismas redundarão em tristeza, em melancolia. Admitimo-lo, e não só para o homem do campo, e não só para o campônio mineiro.

E o bucolismo? Não será mero tópico de ressonâncias virgilianas?

Sem embargo do seu "bucolismo mineiro", não era A voz da terra o romance que mais agradava ao nosso escritor. Alguns anos depois da publicação daquela obra, disse ele o seguinte ao redator duma folha daqui, que o interrogava:

"O livro meu que o público e a crítica mais apreciaram é *"A voz da terra*; mas, para mim, não passa de autêntica jabuticaba, coisa de que todo o mundo gosta e não passa de simples água doce. Prefiro o romance "João", livro em que me acentuo mais e está de melhor acordo com o nosso espírito mineiro".

Neste caso, não estamos já em presença de um "romance bucólico", com sabor de jabuticaba. É obra de alento realístico, entenda-se: mais objetivo do que lírico, mas sem as rudezas de outros modelos do gênero, e também sem a exterioridade do típico e do pitoresco regional, sem paisagismo ornamental, nem folclorismo estilizado. Na obra se revela, com notável sobriedade e eficácia de meios artísticos, a existência do homem que se afadiga na aflição de lavrar a terra e para quem, como está no *Eclesiastes*, todas as coisas são difíceis e não se podem explicar com palavras, mas nem por isso o olho se farta de ver, nem o ouvido se enche de escutar. E o homem, aqui, é o enxadeiro João, analfabeto e descalço, rijo e sofrido nas duras labutas do campo, desamparado no seu destino de escravo da gleba, e que ano após ano ascende penosamente à condição de pequeno sitiante.

As lentes com que é visto o capiau mineiro não são negras nem azuis: a perspectiva não é a de Euclides, poetizador do sertanejo forte, nem muito menos a de Lobato, descaridoso caricaturista do degradado Jeca-Tatu.

O romance está mais de acordo, não diremos com o "espírito mineiro" (mera figura de retórica), mas com a realidade do homem circunscrito nas roças do Vale do Sapucaí, ainda no ciclo econômico subdesenvolvido do milho e do porco, ciclo vegetativo que a sabedoria popular compendiou neste dito malicioso: *"O mineiro planta o milho e cria o porco, o porco come o milho e o mineiro come o porco"*. E mais feliz é a síntese do criador matuto: *"A terra dá o milho, e o porco é um saco de milho andando pro mercado"*.

Mas Amadeu de Queirós foi antes de nada, como dissemos, um contador de "causos", grande conversador, dotado da arte de contar por puro prazer. Esse narrador, comparável aos autores das velhas histórias e conselhos populares que ainda correm mundo anonimamente, acha-se, inteiro, no volume *Os casos do carimbamba*, aparecido em 1939 e não reimpresso depois. *Carimbamba*, explicava o autor, é o nome com que se designa, no Sul de Minas, a pessoa que exerce a medicina sem proveito direto.

Todos os casos narrados têm assunto médico, e seu narrador, não o esqueçamos, foi boticário, filho de boticário, curandeiro, isto é, carimbamba. Durante vinte anos curou muita gente da roça e da cidade, e tratou da bouba da galinha, da batedeira do porco e da bicheira do gado, quando não caía com benzedura. E o que induziu o carimbamba a narrá-los, chegada a hora da saudade, foi a nostalgia do torrão natal, seus campos e serras, suas vargens e grotões, a recordação dos seus conterrâneos e outros tempos, povo simples e bom, apenas um tanto sotrancão e desconfiado, rotineiro e apático, supersticioso e sem verdadeira fé, propenso ao sexo e à pinga, irônico e maldizente, empenhado em malquerenças e disputas e desavenças políticas; enfim, gente humana, feita do barro comum.

Amadeu de Queirós foi eleito membro da Academia Paulista de Letras, pouco antes de falecer, não chegando a tomar posse. No ano seguinte vinha a público um livro de memórias, *Dos 7 aos 77*, e naquele mesmo ano aparecia impresso um romance inédito, conservado durante muito tempo na gaveta, *Catas*, meio história e meio ficção, tendo como cenário a mineração nos vales do Rio Verde e do Sapucaí.

Não teve o escritor, fora de São Paulo, a audiência que merecia. Nem mesmo em sua província natal. E o destino mais comum do escritor provinciano (São Paulo é também província), quando não administra bem a sua glória no lugar onde se fazem ou consolidam as reputações literárias: na capital intelectual do país.

2. GILBERTO DE ALENCAR

Apareceram nas livrarias, não faz muito, impressos num volume único*", dois romances de Gilberto de Alencar: *O escriba Julião de Azambuja*, em sua primeira edição, e *Misael e Maria Rita*, em segunda. Nesses dois romances, junto com as *Memórias sem malícia de Gudesteu Rodovalho*, que teve três edições, uma em 1946 e duas posteriores, ficou-nos o melhor da obra do inesquecível jornalista e romancista, falecido em 1961, um dos mais perfeitos prosadores já nascidos em Minas.

Gilberto de Alencar, como tipo humano, em nada se parecia com o seu conterrâneo Amadeu de Queirós. Fisicamente, entre um e outro escritor, havia apenas a vaga semelhança de serem ambos de boa estatura, enxutos de carnes e saudáveis. Pelo caráter, diferiam muito: ao Amadeu turbulento, jovial e chocarreiro, comunicativo, derramado na conversa, se opunha o discreto e arisco Gilberto, "monossilábico na conversação, tímido na sociedade, doméstico como os gatos, ressabiado e meio solitário", como o descreveu seu fraternal amigo Mário Matos. Filho do poeta e médico Fernando de Alencar, cearense, primo de José de Alencar, Gilberto nunca saiu de Minas, ao contrário de Amadeu, que viveu a maior parte de seus dias de homem feito na capital paulista. Mas ambos, entranhadamente mineiros, amavam apaixonadamente o torrão natal — nascido, um, nos campos da Mantiqueira e o outro no Vale do Sapucaí.

As três obras de Gilberto de Alencar, mencionadas acima, e mais Reconquista, obra evocativa da campanha civilista em Minas, pertencem a uma variedade de romance que Georges Duhamel definiu sutilmente no seu

---

*. Editora Itatiaia, Belo Horizonte, 1962.

livrinho *Remarques sur les mémoires imaginaires*. Referindo-se às duas grande séries de narrativas romanceadas que lhe saíram da pena — *Vida e aventuras de Salavin e Crônica dos Pasquier*, — Duhamel sustentou que não escreveria suas memórias verdadeiras porque preferia escrever memórias de outrem, memórias imaginárias, os seus romances, nos quais a ficção se mescla com a realidade, de tal sorte que seria impossível separar os fatos realmente vividos daqueles inventados. E a dose possível de veracidade existente no caso das memórias imaginárias não seria presumivelmente inferior ao das memórias verdadeiras. Talvez antes pelo contrário. Como está no poeta Antônio Machado,

> *Se miente más de la cuenta*
> *por falta de fantasía:*
> *también la verdad se inventa.*

As memórias sem malícia de Gudesteu Rodovalho e *O escriba Julião de Azambuja* são memórias francamente autobiográficas, com as transposições literárias usuais no gênero. Gudesteu Rodovalho veio ao mundo ali por volta de 1882 no povoado de Ressaquinha, região da Mantiqueira, onde os trilhos da estrada de ferro tinham acabado de chegar. Autodidata, gostava das letras e acabou como jornalista em Juiz de Fora. Seu modelo em carne e osso, Gilberto de Alencar, nasceu no Povoado de João Gomes (hoje cidade de Santos Dumont), da mesma região, no ano de 1886. Igualmente autodidata, com forte vocação para as letras, foi jornalista toda a sua vida, desde os 19 anos, sempre em Juiz de Fora.

Nas memórias de Rodovalho acham-se aquelas qualidades que, tradicionalmente, se julgam indispensáveis a todo romance, seja qual seja a sua índole ou conteúdo: certo realismo das situações, a verossimilhança das personagens e uma justa apreciação dos valores sociais. Hoje parecem dispensáveis a muitos: o "romance novo", ao menos o que tem esse título na França, "licenciou o universo", desterrou o espaço, o tempo e o movimento, suprimiu toda forma de intriga ou aventura em que o autor experimentava a sua faculdade inventiva e buscava a sua essência de criador.

Dentro da linha tradicional, é a melhor obra de Gilberto. Narrada em forma límpida e corrente, liricamente evocativa, comunica ao leitor a emoção poética dos dias idos, recordados com saudade, sem a borra amarga que uma longa existência deposita inevitavelmente no coração. A bonomia e a placidez, respaldadas por uma leve ironia, são os tons nela dominantes. De quase todas as suas páginas, e em especial as que relembram a vida na fazenda — o trabalho da terra, a alimentação, as queimadas, as chuvas, o milharal, — fica-nos um testemunho dos mais vivazes sobre certa época da Minas agrária. De modo geral, as impressões fixadas nesta parte, e também as que aludem à vida do povoado, às primeiras leituras, ao circo, ao fonógrafo, outras mais, conferem com as da minha própria infância.

Julião de Azambuja é o mesmíssimo Rodovalho, em novas circunstâncias e já senescente. Em Várzea de Dentro (nome postiço de Juiz de Fora), todos o conhecem e estimam como "escriba de reconhecido talento". Começa a escrever as suas recordações à véspera de completar setenta e um anos. Quer deixar mais um livro, meio de tirar a prova do seu vigor intelectual. Se o livro sair inferior aos anteriores, dirão todos que já não é o mesmo escritor. Mas ele correrá o risco. Não se sente caduco. Sente, isto sim, a solidão que acompanha os velhos, solidão agravada por uma das taras da velhice, o misoneísmo, a resistência às novidades do mundo em transformação. Tudo se vai, seu tempo também se foi.

Regra geral, o escritor provinciano que ambiciona fazer carreira nas letras emigra para o Rio, onde se fazem e desfazem as reputações literárias. Julião, ainda moço, entendeu que Várzea de Dentro, então a mais importante cidade da província e o seu maior centro intelectual, era ambiente suficientemente propício à realização das suas esperanças de literato *in herbis*. Rumou para lá. Chegou, viu e venceu, confessa. Publicou algumas brochuras, brilhou entre os homens de letras, entrou muito jovem para a academia provinciana, escreveu nos jornais.

"Isso de escrever nos jornais é que foi o diabo, porque me impediu de publicar maior número das referidas brochuras e sobretudo de burilá-las a meu gosto. Não houve, todavia, outro remédio, visto que, então, como presentemente, ninguém podia viver de literatura, e de jornal sempre se vivia e sempre se vive. A prova é que consegui educar numerosa família, nos moldes e com o conforto da pequena burguesia que se preza."

Ainda bem. Mas o mau foi que Várzea de Dentro, com o correr dos anos, decaiu intelectualmente em proveito da capital da província, que a bateu na carreira do progresso. Os literatos seus confrades para lá se mudaram, ou morreram. A Academia também se mudou, Julião foi ficando sozinho. Várzea de Dentro cresceu muito, não em letras, mas em atividades produtivas. Inabitável, para os escribas da marca de Julião.

Que fazer? Refugiar-se no já vivido, recuperá-lo na recordação?

É o que faz Julião de Azambuja, ou, se preferem, Gilberto de Alencar. Escreve outro romance. Repassa na imaginação a Várzea de Dentro dos últimos anos, orgulhosa dos seus *buildings*, ávida de novidades, com jornais que abrem espaço para o colunista do café *society*; escruta a pacata Várzea de Dentro, agora transformada, seus novos hábitos urbanos, certos resíduos de acontecimentos locais, alguns tipos de seu conhecimento e tudo o mais que parece existir unicamente para fornecer matéria-prima ao romancista, "*ce singe de Dieu*", como o chamou François Mauriac.

Não é autobiográfico o romance *Misael e Maria Rita*, mas é também uma narrativa memorial, composta de reminiscências e retalhos de impressões do passado do escritor, no trânsito do século último para o atual, narrativa em que se fixam gentes e coisas duma cidadezinha decadente da extinta zona de mineração, mal adaptada à economia rural. Cidadezinha parada, parada, pobre, pobre, como tantos outros burgos da Minas arcaica, estagnada desde meados do século XVIII, atrasada cem anos na sua estrutura econômica e social. A vida que aí decorre, mofina e ronceira, prende-se às lembranças da primeira mocidade do escritor, lembranças nada gratas, em verdade, pois a fauna humana, tórpida e mesquinha, que se espelha nas páginas do romance, não é de molde a suscitar pensamentos otimistas no leitor.

Gilberto de Alencar era dos romancistas que não saem de si mesmos quando pintam personagens ou descrevem quadros da existência. Como o sábio Montaigne podia dizer: "*C'est moy que je peinds*". E assim é que estava bem.

Em outro livro de ficção, *Tal dia é o batizado*, vida romanceada do Tiradentes, saiu da sua linha, forçando o próprio talento — invita Minerva, — e não foi muito feliz. Outra coisa não era de esperar, tanto mais que o pobre do Tiradentes só tem inspirado literatura medíocre e abaixo de medíocre, em prosa ou em verso.

O ROMANCISTA AVELINO FÓSCOLO

I

Conversei com Avelino Fóscolo[1], pela primeira vez, em princípios de 1940, poucos anos antes de sua morte. Mas, desde muito antes, eu conhecia de tradição alguns fatos de sua existência, acidentada e aventurosa em seus começos e admirável como exemplo de esforço, inteireza de caráter e autonomia mental.

Do seu *curriculum vitae*, curioso a muitos respeitos, podia ter ele extraído matéria para mais dum romance. Baste lembrar que, órfão aos onze anos, viu-se forçado nessa idade a comer o pão amassado no suor de seu rosto. Menino ainda, abandonou Sabará, sua cidade natal, e saiu a correr mundo em companhia dum artista norte-americano que exibia nos tabla-

---

[1]. Antônio Avelino Fóscolo nasceu na Cidade de Sabará (Minas Gerais) aos 14 de novembro de 1864. Órfão aos onze anos de idade, sem recursos para estudar e obrigado a trabalhar para o próprio sustento teve de se entregar a duros e humildes misteres, entre os quais o de trabalhador da mina de ouro do Morro Velho. Com um artista de feira norte-americano, que exibia em público quadros vivos, representando figuras célebres de museus, percorreu o Brasil e algumas repúblicas do Sul. Aprendeu então o inglês e outros idiomas. Pôde, depois, frequentar escolas em Minas e no Rio. Fez-se jornalista e escritor. Fundou periódicos, e em Sabará, na redação de O Contemporâneo, jornal que deixou recordações, foi companheiro de dois moços de talento, Luís Cassiano Júnior e Artur Lobo. Colaborou na imprensa de Belo Horizonte e do Interior. Em Tabuleiro Grande (hoje Paraopeba), onde se havia fixado com a família, montou farmácia, fundou mais de um jornal e incentivou o gosto pelo teatro, animando vocações e criando um conjunto de amadores. Dramas e comédias de sua autoria foram assim levadas à cena naquela localidade. Gozava de excelente reputação de escritor quando se fundou em Juiz de Fora (1909) a Academia Mineira de Letras, à qual pertenceu desde o início. Faleceu em Belo Horizonte, onde residiu nos últimos anos de sua vida, a 29 de agosto de 1944. Para a cadeira que ocupava no cenáculo mineiro foi eleito como seu sucessor o autor deste trabalho.

Deixou as seguintes obras impressas:

A Mulher (em colaboração com Luís Cassiano Martins Pereira), romance. Prefácio dos Autores, intitulado "Viver às claras". Rio de Janeiro, Tip. Moreira Maximino & C., Rua da Quitanda, 90, 1890, 222 págs. e 1 folha de errata.

O Caboclo. Costumes mineiros. Imprensa Oficial de Minas Gerais, Belo Horizonte, 1902. 190 págs.

A Capital. Tipografia Universal, Porto, Portugal, 1893 (Data errada, em vez de 1903).

O Mestiço. Imprensa a vapor de Joviano & C., Belo Horizonte, 1903. 247 págs.

dos figuras vivas representando quadros célebres. Com esse saltimbanco percorreu o Brasil e algumas repúblicas do Sul. Tornou-se na primeira mocidade, artista de teatro ambulante e viveu assim variadas aventuras, próprias da existência livre e errante dos comediantes. Depois, numa estação mais prolongada de sua *troupe* no interior de Minas, trocou a vida de artista nômade pela vida de toda a gente: Devia ser grande já, nessa ocasião, a sua experiência do mundo e dos homens. Muitas cousas aprendera sozinho, inclusive a língua inglesa, além de outros idiomas. Afinal, assentando a vida, estabeleceu-se como boticário num povoado sertanejo, constituiu família, escreveu livros, redigiu jornais, trabalhou muito, trabalhou sempre, até os derradeiros anos de sua longa existência. Duas vezes esteve na Europa. Ao que ouvi contar, foi no regresso da primeira viagem por ele feita ao velho mundo que se deu curioso episódio de sua vida, do qual conheço mais de uma versão. Devia achar-se de caminho por Juiz de Fora, quando daquela cidade transmitiram para *O Movimento,* de Ouro Preto, o seguinte telegrama, datado de 10 de abril de 1892: *Faleceu nesta cidade o escritor mineiro Avelino Fóscolo.* O jornalista sabarense Azeredo Neto contou-me o caso com alguns pormenores, não sei se com inteira exatidão, sempre difícil em testemunhos de oitiva.

Chegando a triste notícia a Tabuleiro Grande, onde o escritor morava, a família pôs luto e mandou rezar missa de sétimo dia. Passados dias, o português Abel das Barcas, indo de Macaúbas para Sabará, onde residia, enxergou na estrada a figura de Avelino Fóscolo, muito sua conhecida,

---

O Jubileu. Romance social. Tip. A Comercial, João Madeira & C., Juiz de Fora, 1920. 162 págs.
Vulcões (Romance social). Livraria Católica Portuense, Porto, Portugal (1920?). 214 págs.
O Semeador. Drama em três atos. Segunda edição. Tip. Renascença, Belo Holizonte, 1921. 42 págs.
Obras inéditas; No Circo, Indesejáveis e Morro Velho, romances; O Demônio Materno, drama em três atos; Cá e lá...
Referências bibliográficas:
J. F. Velho Sobrinho, Dicionário Bibliográfico Brasileiro, Rio, 1937, Vol. págs. 687.
Eduardo Frieiro, Conversando com Avelino Fóscolo, em "Folha de Minas" Belo Horizonte, edição de 22 de fevereiro de 1940.. — o primeiro romancista da cidade, em o "Estado de Minas", Belo Horizonte, 12 de dezembro de 1947 — *Uma fazenda de outrora*, em o "Estado de Minas" Belo Horizonte, 29 de fevereiro de 1948.
Escritor Avelino Fóscolo (Necrológio), em o "Minas Gerais", Belo Horizonte, 30 de agosto de 1944.
Jair Silva, "Seu" *Avelino em Paraopeba*, artigo no "Estado de Minas", Belo Horizonte, novembro de 1944.
José Patrício, *A geração d'o Contemporâneo*, em o "Estado de Minas", Belo Horizonte, 24 de dezembro de 1944.

que vinha cavalgando em direção contrária. Era, não teve ele dúvida, o espectro, a alma penada de "seu" Avelino, de cuja morte ouvira falar. Aterrorizado, caiu da mula em que montava e desembandeirou numa carreira louca até Sabará. "Vi o fantasma de "seu" Avelino!", exclamava, espalhando a notícia por toda a cidade. Os incrédulos, porém, riam-se do Abel das Barcas. Esclarecido o caso, logo se soube que "seu" Avelino se achava pacatamente em Tabuleiro Grande, na sua botica, manipulando xaropes e unguentos, purgantes de sene e maná e cápsulas antifebris.

Ele próprio, segundo o Azeredo Neto (e conforme versão corrente que ecoou na imprensa), teria veiculado a falsa notícia de sua morte, como um *poisson d'avril* e também com o propósito de chamar a atenção para o romance que tencionava lançar em breves dias. Fóscolo, é claro, contestou essa versão, atribuindo-a à perfídia de desafetos. Não seria entretanto a primeira vez que um escritor teria usado de semelhante expediente de propaganda. Agripino Grieco referiu-se ao estardalhaço provocado por Figueiredo Pimentel em torno do aparecimento de seu romance *O Suicida*. Tinha Figueiredo Pimentel apenas vinte anos e era redator do País, quando deixou na barca em que viajava do Rio para Niterói a sua capa espanhola, seu sombreiro andaluz e sua carteira, juntamente com um bilhete em que declarava os motivos de seu "suicídio". Desembarcou sorrateiramente e correu a ocultar-se numa fazenda das bandas de Magé, onde se deixou ficar algumas semanas. Entrementes aparecia o livro nas livrarias, com grande êxito de venda, graças à farsa que o autor preparara para o seu lançamento. Os jornais prantearam "a morte prematura do jovem e talentoso escritor", e a polícia perdeu dois dias em busca do seu "cadáver"[2].

Estamos talvez alinhavando um conto. Tudo não teria passado realmente, no caso de Fóscolo, de uma peta de 1º de abril pregada por um pândego desconhecido. Foi pelo menos assim que a ela se referiu uma folha de Sabará, *O Contemporâneo*, de que o próprio Fóscolo era um dos redatores, em sua edição de 10 de abril de 1892.

O afã de notoriedade pode ter consequências trágicas, como aconteceu com Peregrinus Proteus, filósofo cínico, que nos jogos de Olímpia anunciou a sua intenção de se lançar numa fogueira, com a esperança de que o povo não o consentisse; mas ninguém se interpôs e, por cumprir o prometido, atirou-se às chamas. E houve o caso, depois da primeira guerra mundial, de certo escritor francês (contado por A. Camus, em Le mythe de Sisyphe), o qual, depois de ter concluído seu primeiro livro, suicidou-se a fim de atrair a atenção do público para a sua obra. Atraiu-a realmente, mas o livro foi considerado mau.

Dizia a folha:

"Pilhéria de mau gosto essa que fizeram com o nosso velho companheiro, em telegrama transmitido ao Movimento, noticiando o seu falecimento súbito em Juiz de Fora, onde se achava. Mau "poisson d'avril", sem dúvida para quem tem uma esposa querida e uma filhinha idolatrada, o que quer dizer que ele mesmo seria incapaz de um gracejo semelhante, como quiseram atribuir-lhe. Verdade, verdade, que o Fóscolo já foi um boêmio, mas um boêmio a seu modo, desde criança. Ridicularizando, ou antes, censurando a si mesmo e a todos, naquela sua excentricidade "exquise", já houve tempo em que pouco se lhe importavam as convenções sociais, aplicando-se com calor às doutrinas de Epicuro.

Mas como tudo se transforma com os tempos, aí vemo-lo hoje muito digno pai de família, feito Vereador da Câmara Municipal de Sete Lagoas e, talvez, inspetor de quarteirão lá pelo Tabuleiro, suportando, enfim, de cara alegre, todas as mentiras sociais admitidas, como qualquer burguês acanhado, da "cartilha antiga".

Cousas da vida.

Mas imaginem lá qual a nossa aflição, de amigos que o extremamos, ao termos tão triste nova! Telegramas repetidos, indagações continuadas, tudo se fez a fim de conhecer-se a verdade da notícia, quando, sem se esperar, no M-17, ao meio-dia, ei-lo aqui, furioso e aflitíssimo, pensando na família que já devia estar de conhecimento do seu "sentido, prematuro e infausto passamento".

Houve quem, vendo-o, ainda perguntasse:

— Então, você não morreu mesmo não?

— Posso garantir-lhe que não, ia respondendo ao pé da letra", a um e a outro, e cientificando-os de que quando tivesse mesmo de morrer, participaria nos amigos e conhecidos, para evitar surpresas, que às vezes causam mal.

São enormes os interrogadores.

Console-se, porém, o Fóscolo que muitos destes quilates (?) têm-se feito a 1º de abril"[3].

---

[3]. Em sua edição de 5 de maio de 1892, inseria O Contemporâneo a seguinte nota, enviada à redação do jornal por Avelino Fóscolo:

"TELEGRAMA FALSO. - Por pessoa insuspeita soube que fora autor do telegrama do Movimento, noticiando a minha morte, um meu adversário político, com o fito desviar o meu nome que constava ser indicado para uma das vagas de deputado ao Congresso Mineiro.

Faltando-me provas bastantes para desmascarar o infame... (7 linhas ilegíveis por estar dilacerado nesta parte o jornal que consultamos), e os prejuízos que me acarretou o vil mentiroso, tantos que não posso deixar de prosseguir no firme intento em que estou de descobri-lo. Não podendo mais atribuir o fato a uma brincadeira de 1º de abril, é preciso confessar que ao seu autor faltam o critério e a vergonha, e se se me apresentasse, prometo, medir-lhe-ia a pontapés a extensão do fêmur direito ao esquerdo. — A. Fóscolo".

Já eu conhecia Avelino Fóscolo de vista, muito antes de lhe falar pela primeira vez. Habituara-me a vê-lo na Avenida Afonso Pena, à noitinha, pouco antes do início da primeira sessão dos cinemas, que ele frequentava assiduamente. Quase sempre o via só, alto, enxuto, o passo cadenciado e longo, a cabeleira abundante e branca, a face glabra, citrina, e uns olhos um tanto esquivos atrás dos óculos e meio escondidos por baixo do chapéu desabado sobre a testa. E sempre julguei adivinhar um grande tímido alojado paradoxalmente naquele homem que a natureza dotara de estatura avantajada, sem nada que por acaso pudesse justificar o sentimento de inferioridade corpórea que se acha com frequência na origem da timidez.

Constava-me que era retraído, inimigo de aparecer e com fama de esquisitão. Diziam-no libertário e anarquista.

Por causa, talvez, do seu feitio retrátil, e em razão também, provavelmente, do contato que nos seus anos de aprendizado tivera com os aspectos penosos da vida, Avelino Fóscolo nunca se adaptou completamente à ordem social estabelecida. Como homem, de bom ou mau grado, aceitou as servidões que a sociedade impõe. Como escritor, porém, reservou-se o direito de criticá-las e, aspirando a uma ordem mais perfeita, ajudou a cruzada contra o conformismo.

Seu espírito livre e generoso levou-o a fazer o chamado "romance social". Isto há meio século, e mais, o que quer dizer que foi de alguma forma, com Fábio Luz e poucos outros, um dos precursores dos nossos atuais romances de intenções socializantes.

Um dia em que pudemos palestrar um pouco, aludi ao meu desejo de o interrogar sobre as suas ideias a respeito da literatura e especialmente da arte do romance. Era para um artigo, em forma de entrevista, que saiu na *Folha de Minas* de Belo Horizonte.

— A literatura, disse-me então o escritor, sempre a concebi como alimento indispensável ao espírito, diversão educativa e fonte de civilização. Quanto ao romance, enxergo nesse gênero literário — o mais vivo e eficaz entre todos os outros uma função eminentemente social, desde os tempos mais recuados. E o primeiro exemplo que naturalmente me acode à lembrança é o daquele pequeno povo de pastores, num pequenino país que se inscreveu perpetuamente na História e progrediu através dos séculos graças à prodigiosa fantasia de seus romancistas e poetas: Moisés, Davi, Salomão e outros criadores de religiões com suas obras.

E acrescentou:

O Judeu foi mesmo o precursor dos narradores realistas. Naquelas histórias de Sodoma e das filhas de Ló, do pai de Abraão cedendo por duas vezes a própria esposa ao rei, e outras histórias como estas, é tudo romance realista, muito cru, imoralíssimo segundo a opinião dos rigoristas. O Gênesis, esse então, é a meu ver um dos maiores romances de todos os tempos[4]. E, naturalmente, encontram-se nele grandes lapsos do narrador. Como em toda a obra humana. Assim é que Moisés cria um casal único, no princípio, com dois filhos varões; Abel e Caim. Este mata o irmão e foge para o País de Node, onde fundou a Cidade de Henoque. De que maneira? Com quem concebeu a grande progênie que povoou a maior parte de Israel?

— Que o digam os sábios da Escritura...

— Mas não dizem. Outro ponto curioso: Jeová é duma severidade extrema com Adão, quando o primeiro homem, cedendo a um impulso de fome, devora a maçã. Entretanto, com Abraão, por aquilo que sabemos, mostra-se duma tolerância absoluta.

— Pelo que diz, interrompi, a leitura da Bíblia entrou muito na sua formação de escritor. Porém, deve ter tido outros mestres, além de Moisés, David e o Eclesiastes, não é verdade?

Tive mestres, como não? Os românticos... Os realistas... Mas fui péssimo aluno. E talvez influíssem em mim os escritores de minha predileção: Camilo Castelo Branco, Flaubert, Zola. Nos meus primeiros tempos de leitor, os que mais li e admirei foram Dumas Pai, Vítor Hugo, Júlio Verne e os bíblicos.

Declarou-me nessa ocasião que entre os romances que havia publicado preferia O Mestiço, por ser uma página bem realista dos ominosos tempos da escravidão.

E quanto a princípios, indaguei se os tinha, filosóficos, religiosos e políticos. E a resposta veio logo sem vacilação:

— Minha religião consiste em fazer o maior bem possível. Quanto aos meus princípios de filosofia social, sou acrata, como foram Tolstói, Elisée Réclus, Jean Grave...

---

[4]. Nada tem de esdrúxula a opinião. Concorda com a de tantos outros racionalistas que veem no Velho Testamento algumas das primeiras e mais belas obras de ficção que já se escreveram. Note-se o que disse um conhecido romancista:
"Pendant des millènaires, des hommes ont fait la chaîne, gènération par gènération, pour composer un des plus beaux romans, le plus beau du monde peut-être,
l'Ancien Testament". (Georges Simenon, in Arts, Lettres, Spectacles, Paris, 12-18 nov. 1958).

II

Quando se fundou a Academia Mineira de Letras na Cidade de Juiz de Fora, em 1909, reservou-se uma cadeira, a sétima, para ser ocupada por Avelino Fóscolo, que já havia publicado quatro romances e militava na imprensa mineira. Cabia a Avelino Fóscolo escolher o patrono da cadeira que iria ocupar, e sua escolha recaiu em Luís Cassiano Martins Pereira, filho de Sabará, ali falecido poucos anos antes, aos trinta e cinco anos de idade[5]. Rendia, assim, preito de saudosa homenagem a um conterrâneo que fora seu companheiro de juventude e de começos literários. Luís Cassiano, homem de cor mas de boa classificação social, deixara reputação de jornalista e escritor de talento. Bacharel em Direito, deputado estadual, advogado e professor da Escola Normal de Sabará, redigira, com Artur Lobo e Avelino Fóscolo, o já mencionado *O Contemporâneo*, um dos mais bem feitos periódicos do centro de Minas.

De parceria com Luís Cassiano, escreveu Avelino Fóscolo seu primeiro romance, *A Mulher*, que traz na página de rosto a data de 1890. Fóscolo tinha então vinte e seis anos; Luís Cassiano, vinte e dois[6]. O romance era o que forçosamente tinha de ser, naquele momento, escrito por dois jovens afoitos, dois estreantes de fim do século, naturais da pequena cidade que se orgulhava de ser o berço de Júlio Ribeiro, o audaz romancista de *A Carne*[7]. A obra de estreia dos dois moços sabarenses era, pois, um romance naturalista e positivista, de intenções sociais, segundo a receita, já então meio gasta, de Zola e seus seguidores. Influências? Mais que visíveis e próximas. Em 1887, Aluísio Azevedo publicara O Homem. No ano seguinte aparecera *A Carne*, de Júlio Ribeiro. Nas águas destes ia o romance dos dois moços de Sabará. Conformes seus modelos, era anticlerical, buscava demonstrar uma tese de patologia social (como se dizia) e exagerava os impulsos da carne, o que ainda se faz, e agora em grau frenético, porém naquele tempo constituía grandíssima audácia. Atacava a constituição burguesa da família e os males do casamento de conveniência, os quais, na conclusão dos dois romancistas, levavam naturalmente à desunião e à bambochata.

---

[5]. Nascido e falecido em Sabará (1868-1903). Bacharel em Direito, foi professor da Escola Normal de sua cidade natal, jornalista, advogado e deputado à Câmara Estadual. Escreveu contos em periódicos de Sabará e de Juiz de Fora, não recolhidos em volume. Só conhecemos dois, O *Cristóvão*, publicado no *Almanaque de Juiz de Fora* para 1897, e *A Freira*, no mesmo Almanaque, 1898, Nas páginas dessa publicação lemos O *Raquítico* e *A Tuberculose*, contos de Avelino Fóscoto.

[6]. O próximo aparecimento do romance foi assim noticiado em *O Contemporâneo* de 13 de julho de 1890:

Com a jactância e as ilusões próprias de literatos verdoengos, estavam os autores convencidos de que lançavam uma obra ousada, destinada a escandalizar, como realmente pretendiam, a bem-aventurada família burguesa, pia e honrada por fora, corrupta e viciosa por dentro. Com as seguintes palavras, intituladas *Viver às claras*, apresentavam o romance:

"*Cristianíssimo leitor, apresentamos-te A MULHER. É uma obra realista, a dissecção de um organismo, a autópsia da alma, um estudo psicofisio-lógico ou cousa que o valha.*

— *É uma indecência, uma imoralidade, um tratado de pornografia pura, uma coisa indigna de ser lida, retrucarás indignado.*

Será, não duvidamos: mas em todo caso, no que diz respeito a obscenidades, está muito aquém do livro com que educas os teus filhinhos, o código da tua religião — A Bíblia — OS AUTORES".

A ação do romance transcorre no Rio de Janeiro, pelo ano de 1888. É a história dum casamento burguês, que termina em tragédia de alcova, a sempiterna tragédia de alcova, aquela que em todos os tempos (consoante as palavras de Leão Tolstói, recolhidas por Máximo Gorki) mais tem atormentado, atormenta e atormentará o homem de nossa civilização, cristã, monógama e patriarcal. Um norte-americano já madurão, homem de estudo, educado na escola de Darwin, votara toda a sua existência, quarenta anos de labor incessante, ao seu único e positivo amor, a Ciência. Mas esse asceta de gabinete conhece um dia a filha dum certo Castro, burocrata que gastava o que não podia, para satisfazer os fumos de grandeza de D. Florinda, sua mulher. Winter apaixona-se pela moça, fulminantemente, e o casamento de conveniência se realiza. Morigerado e casto, sem experiência do outro sexo, até a data do casamento, não era aquele o marido de que a natureza ardente da moça precisava. Surge então um vadio pelintra,

"A MULHER — Como os leitores talvez se recordem, a maior parte da imprensa mineira e paulista noticiou há algum tempo o aparecimento de um romance naturalista, *A Mulher*, de que são autores os nossos amigos e companheiros de trabalho Luís Cassiano Júnior e Avelino Fóscolo. Na elaboração da obra, a tese foi confiada ao primeiro, ficando a parte descritiva a cargo do segundo.

"Sobre o seu merecimento não é oportuno antecipar juízo, além de que não a conhecemos; os leitores deste periódico, porém, terão ocasião de ver, antes da publicação d'*A Mulher*, uma amostra em um excerto que os autores nos prometeram e publicaremos em uma página literária.

"A obra de que tratamos deverá entrar definitivamente para o prelo; para o que um dos autores partirá brevemente para o Rio de Janeiro.

"Muitas têm sido e ainda são as dificuldades com que os moços autores d'*A Mulher* têm lutado para conseguir a publicação desta obra filiada à nova escola naturalista; em virtude disto, resolvemos abrir em nosso escritório assinaturas para o romance *A Mulher*. Aos nossos conterrâneos, particularmente, dirigimos os nossos apelos, pedindo o seu auxílio para a publicação do novo romance dos nossos talentosos companheiros. As pessoas que quiserem subscrever para a publicação da obra rogamos o obséquio de vir ao escritório desta folha. Cada exemplar d'*A Mulher* custa 2$000."

Um contemporâneo de Avelino Fóscolo, o Major Artur Campos, pesquisador de fatos da história mineira, foi quem descobriu ter nascido em Sabará o romancista Júlio Ribeiro Vaughan.

Armando, gozador da vida pertencente à sociedade fútil que frequentava as tabacarias, os cafés e as confeitarias elegantes da Rua do Ouvidor e adjacências, e também os lupanares infectos das ruas de São Jorge e Senhor dos Passos, por não falar em muitas outras, numa época em que o centro comercial do Rio e até austeras repartições públicas (o Supremo Tribunal, por exemplo) vizinhavam ali com uma das mais vastas e sórdidas pornéias que já existiram em qualquer parte. Embonecado como um leão da moda — chapéu à República, colarinho à Ramalho Ortigão, luvas à Dumas Filho, *pince-nez*, flor na lapela do fraque — Armando jogava e, quando a precisão de dinheiro o apertava, recorria aos agiotas ou então "a certo político, que, sob muito segredo, lhe pagava os gozos subvértebro-lombares com belas notas do Tesouro". Por esse rufião insinuante perde a cabeça a filha de Castro. Urde-se o drama conjugal, e a cousa termina com um desfecho dos mais negros, em conformidade com a receita realista. Tudo acaba em ruína, suicídio, tristeza e asco.

Causou escândalo o romance? É duvidoso. Antes de nada porque pouca gente o teria lido, como em geral acontece com os livros publicados no interior do Brasil. E logo porque o livro não podia causar escândalo quando já não havia novidade nas cruezas e truculências da escola naturalista. Chegava atrasado? Propriamente, não; tanto mais que se tratava de obra escrita no interior do Brasil. Só no ano seguinte, em 1891, iniciava Abel Botelho em Portugal, com *O Barão de Lavos*, a sua série de Patologia Social, quando já Eça de Queiroz havia publicado em 1875 *O Crime do Padre Amaro*[7] e em 1878, O Primo Basílio.

Fosse como fosse, o certo é que os próprios autores o repudiaram, não por verem nele inconveniências, mas porque o achavam fraco como obra literária. Também Aluísio Azevedo, depois de publicar *O Homem*, declarou a um amigo não estimar esse romance. Fóscolo não conservava nenhum exemplar de seu livro de estreia e referia-se a ele com menosprezo. E a verdade é que não tinha razão. Li, não há muito, *A Mulher*, num exemplar

---

7. Na edição de 22 de junho de 1890 do periódico *O Contemporâneo*, mais duma vez aqui citado, publicou Fóscolo um conto intitulado *O Padre Amaro*. O nome, evidentemente, é uma sugestão do mais realista do mais realista dos romances do Eça. Mas o sacerdote do conto de Fóscolo, ao contrário do que se passa com o seu homônimo eciano, luta contra a tentação da carne, vence a paixão nele despertada por uma mulher casada, que também o amava desatinadamente, e foge do pecado, indo refugiar-se em lugar desconhecido.

Em outro conto, porém, intitulado *O Vigário*, e aparecido no mesmo periódico a 27 de julho daquele ano, um jovem sacerdote infelicita uma menina sertaneja, abandonando-a ao vilipêndio público, à prostituição, à miséria e a uma morte prematura. A pobre moça, diz o contista, "fora vítima em sua ingenuidade dessa educação fanática que constitui o padre oráculo infalível em qualquer matéria".

— raridade das raridades — pertencente a um dos filhos do romancista. Afora alguns exageros lamentáveis e muitos desacertos, próprios da inexperiência, pareceu-me obra bem legível, como é legível ainda o melhorzinho dos romances de Júlio Ribeiro, *A Carne*, apesar de seus enormes defeitos.

III

Avelino Fóscolo publicou em 1902 (doze anos depois de sua estreia como ficcionista) um romance de costumes mineiros, *O Caboclo*. No ano seguinte deu dois a público, *A Capital* e *O Mestiço*.

A ação de *O Caboclo* transcorre numa fazenda sertaneja de Minas, nas cercanias de Sabará. O protagonista, filho bastardo dum branco libidinoso e bêbado, com uma índia feanchã, quarentona e casta, estuprada por capricho, criara-se na fazenda com as atenções devidas à sua condição de sobrinho dos senhores. Crescera em boa camaradagem com a primogênita do casal fazendeiro, Lená, educada com luxos e mimos. O administrador do latifúndio, um certo Cunha, homem ambicioso, arrastava-lhe a asa, com a esperança de casar com ela. Não era bem sucedido, pois Lená correspondia ao amor de um moço médico, que a tratara e era amigo da família. A moça saiu um dia pelo campo em busca de vegetações silvestres para o presépio. Encontrou o primo caboclo, que a persuadiu a ir com ele à mata fechada, junto de uma gruta calcária, onde havia orquídeas em abundância. Ansiando por uma ocasião como aquela, o sátiro violou-a brutalmente no recesso da mata. Precipitam-se os acontecimentos quando a moça já havia sido pedida em casamento pelo médico e sonhava com a felicidade para breve tempo. O caboclo passa a coagi-la e jura-lhe que não consentirá no seu casamento com o outro. Lená adoece e sofre, acabrunhada. Vai ser mãe. A família inteira-se do ocorrido, e o médico, apaixonado e sensível, mata-se de pesar. Entretanto o Cunha aceita, contente, o papel de salvador da situação: reabilitará a moça, casando com ela. Mas a honra da família, segundo o código medieval e barbárico dos velhos costumes nossos, exigia que se castigasse duramente o causador da desgraça. O fazendeiro e seu futuro genro levam o caboclo até a mata, com o pretexto de caçarem uma onça que andava matando o gado. Chegados à gruta, onde Lená fora ultrajada, subjugaram o moço, amarraram-no de pés e mãos e o mutilaram na sua virilidade. Não contentes de cevarem nele o violento ódio que lhes inspirara a mais brutal e cruel das vinganças, deixaram-no ali amarrado, para pasto das feras e dos urubus. Ao voltarem os homens, a índia pressentiu a desgraça. Correu à lapa, e lá — *mater dolorosa* — socorreu o filho supliciado, matou-lhe a sede, tratou-lhe a horrífica ferida, piedosamente. Depois, quando o viu reanimado, trouxe-lhe o burro arreado e a espingarda, ajudou-o a montar e, dizendo-lhe adeus, abraçou-o e chamou-lhe filho, pela primeira vez.

Embora a sua preferência se inclinasse para *O Mestiço*, que considerava a sua melhor obra, Fóscolo nada escreveu que a certos respeitos valha *O Caboclo*. Quando nada é a impressão que me ficou duma releitura feita há pouco. Nenhum dos seus livros é tão bem narrado, tão bem escrito. Desde os primeiros quadrinhos de fazenda, para a apresentação e recorte das figuras e suas circunstâncias, até o desencadeamento do drama, que culmina na horrível vingança da castração, a história tem um movimento incisivo e natural, compõe uma narrativa bem mineira, na sua rudeza elementar.

VI

Lená e o Cunha, já casados, reaparecem em *A Capital* como personagens centrais deste romance, o primeiro em data — não o esqueçamos — que tomou Belo Horizonte como cenário.

A vida na fazenda tornara-se penosa para ambos. O Cunha realizara seu sonho de riqueza, aceitando a união com a filha do fazendeiro e tornando-se sócio deste. Não era porém feliz, nem muito menos. Unindo seus lucros de sócio da fazenda ao dote da mulher, retirou-se com ela para Sabará, a velha cidade aletargada à beira do Rio das Velhas, modorrando ao sol como as lagartixas de seus muros leprosos. Por outra parte, a abolição da escravatura desorganizara a lavoura. Proclamara-se a República. Era geral a aspiração de reformas e progresso. Os Mineiros pensavam seriamente em mudar a Capital. A imprensa de Minas e do Rio agitava a ideia. Todas as atenções se concentravam em Belo Horizonte, o lugar mais indicado para a sede do governo. A exemplo do que faziam muitos, o Cunha comprou propriedades no antigo Arraial do Curral del Rei. Lená, contentíssima, animou-o a mudar-se para lá. A ideia de uma capital moderna, dinâmica, edificada em moldes grandiosos, projetada para um futuro magnífico, sacudiu-a da tristeza morosa em que vivia mergulhada. Viver uma vida diferente, num meio diferente, composto de gente vinda de todas as partes, gente de ideias novas e adiantadas, empenhadas num mesmo fervor de realização, era o pensamento que logo acudira ao seu frustrado espírito romântico como uma possibilidade de solução e uma promessa de felicidade.

O Cunha, carranca e comodista, não acreditava na mudança e considerava inexequível a ideia. Fez entretanto a vontade da mulher. Mudou-se para o arraial e montou casa de negócio. Para ajudá-lo, mandou vir do Rio um irmão solteiro, empregado no comércio. Lená, no seu bovarismo de romântica provinciana, se bem que honesta dentro dos limites das conveniências, apaixonou-se em secreto pelo cunhado, moço ativo, ambicioso e de poucos escrúpulos, que logo se meteu em especulações que o irmão considerava imprudentes. A Capital já estava instalada. o antigo arraial, demolido transformara-se num imenso formigueiro de trabalhadores, aventureiros, negocistas, especuladores, todos empolgados pela febre de construções, projetos, realizações. Edificavam-se na fantasia os mais soberbos castelos.

Percebendo o amor que Lená ocultava a custo, o cunhado alimentou-o com habilidade e manha, de tal sorte que por meio dela conseguiu que o irmão lhe fornecesse os capitais de que precisava para um ruinoso negócio de construções de casas. E na própria irmã mais moça encontrou Lená a sua principal rival.

No fim, todos os sonhos de Lená se desmoronam. A irmã rouba-lhe o amado e casa com ele. A megalomania dos entusiastas da nova capital durará só três ou quatro anos. Exausto o tesouro público, paralisaram-se todas as obras. Belo Horizonte, a Bandalheirópolis dos oposicionistas caturras, despovoara-se e caíra na apatia. Morto o Cunha, acidentalmente, ao tomar por engano uma droga venenosa, Lená, já grisalha, volta melancolicamente para a triste companhia do velho pai, na decadente fazenda dos arredores de Sabará.

V

Os romances de Avelino Fóscolo, hoje conhecidos de poucos, oferecem matéria de interesse para os possíveis futuros estudiosos da vida social em Minas nos derradeiros anos do Império e primeiros da República. São raridades bibliográficas, quase todos, e dois deles, pelo menos, merecem reimpressão. Um é *A Capital* e o outro *O Mestiço*. O primeiro, como ficou dito acima, prende-se à crônica da fundação de Belo Horizonte e o segundo vale como depoimento acerca do que era a vida duma fazenda mineira nos últimos anos da lavoura servil negra.

Em O Mestiço[8], romance de índole sociológica e intenção documentária, tem-se o drama duma fazenda no vale do Rio das Velhas, perto de Sabará, pelos anos de 86 e 88. A ação decorre, pois, no período imediatamente anterior à abolição do cativeiro negro e já na vigência da lei do ventre-livre. O quadro descrito pelo romancista nada tem de afável, senão muito pelo contrário é um acerbo depoimento sobre o atraso, a mesquinhez e a triste rudeza da vida fazendeira, articulado com um severo requisitório contra a ominosa exploração do homem pelo homem. Tudo está observado com pessimismo e apresentado com as cores mais ingratas.

Nem podia ser de outra maneira. A crítica pessimista dos erros sociais e a análise implacável dos vícios da natureza humana eram as tônicas mais frequentes no romance naturalista da época. Seguidor da escola de Zola e, ademais, acrata confesso, afeiçoado às doutrinas libertárias então em voga, Avelino Fóscolo servia-se do romance para condenar a sociedade atual, como um organismo defeituoso e enfermo, responsável pelos grandes males que afligem a humanidade. Como romancista naturalista, preocupado com a observação exata dos fatos, apresentava a realidade tal qual era, ou como parecia ser. No caso de O Mestiço, seu depoimento é bastante convincente.

A fauna humana e infra-humana — os senhores brancos e o enxurro das senzalas, pretos, pardos e mulatos — está bem individuada, ainda que sobrecarregada de tintas descaroáveis. Nada é amável, a não ser a natureza, e essa mesma se mostra por vezes um tanto híspida. Armam-se dois dramas sombrios, tendo ambos por motor a impulsão do sexo, e tudo acaba mal, em vingança, crime, morte e catástrofe. A obsessão sexual — erotomania, pansexualismo, — é a tônica permanente, tanto na descrição dos homens, como na da própria paisagem física.

Fazenda tipicamente brasileira do centro-sul, a que se descreve nesse romance. Figura-se uma vasta propriedade rural estendida quase a perder de

---

8. A Folha Pequena, de Belo Horizonte, publicou em seu primeiro número, 12-1-1904, o seguinte anúncio:
"O Mestiço, por Avelino Fóscolo. Acaba de sair à luz este esplêndido romance, do qual grande parte foi publicada pelo extinto *Comércio de Minas*. É um magnífico estudo da raça mestiça no Brasil, do seu temperamento e tendências, além de conter cenas, episódios e descrições das nossas fazendas sob o tempo da escravidão em Minas. Este romance é uma das produções em que mais pujante se revela capacidade de observação do operoso escritor mineiro. Um grosso volume, 2$000. Pelo correio, 2$500".
Na mesma página, a quinta, do citado jornal, lia-se também:
"Aos senhores assinantes de ano oferecemos como prêmio o magnífico romance *O Mestiço* de Avelino Fóscolo, cuja publicação encetou-se no *Comércio de Minas* e que acaba de ser editado em grosso volume de 300 páginas".

vista, formando um quadrilátero, em declive no flanco do monte. Toros de árvores carcomidos pelo fogo, restos enegrecidos de vegetação, montões de cinza, indicam que a queima sacrificara ali uma grande mata. A uma extremidade vê-se um resto de floresta ainda não devastada pelo fogo e pela foice. A outra, lobriga-se o povoado ao longe, distinguindo-se por entre o casario rarefeito o campanário branco da igreja. No horizonte esfumam-se as serras, baixas e pedregosas. A estrada de carro insinua-se pelos acidentes do terreno, tortuosa, branca, vermelha ou cinza, conforme os trechos de sombras ou de luz. Um regato corre encanado na parte mais baixa do vale.

Na roça, já preparada, os trabalhadores, escravos e livres, movem-se lentamente em compridas fileiras, abrindo covas com a enxada no solo ressequido. Atrás seguem as mulheres, semeando: três grãos em cada cova, envolvidos depois com o pé numa camada de terra fofa. O ano é de seca, outubro já vai em meio e faz-se o segundo plantio, debaixo duma temperatura escaldante e abafada.

Labutando desde o raiar do sol, vergados sobre o cabo da enxada, pingando suor, ofegantes e exaustos, os escravos param por instantes para endireitar o corpo e tomar fôlego, mas imediatamente a voz autoritária do feitor — guia das lidas agrícolas e algoz dos cativos — grita a um e a outro: — "Trabalha, negro ! Basta de preguiça, negro!". E aos gritos, não raro, seguia-se o silvo do azorrague.

Às duas horas, ligeira alta para o jantar, trazido por escravos. Os trabalhadores se encaminham para a sombra dum jacarandá, junto do qual as mulheres depõem as gamelas com a comida: angu em bolas endurecidas e feijão intragável. O almoço, às oito, constara de feijão com farinha de mandioca. Em promiscuidade, cada qual querendo arrebatar o maior quinhão, atiram-se todos sobre os alimentos, metendo as mãos imundas na gamela comum e devorando como animais famélicos. Finda a refeição, o feitor acende o cachimbo e os homens livres chupam compridos cigarros de palha, enquanto os escravos se privam dessa distração, por temerem o feitor.

E o labor continua até o anoitecer. Terminado o trabalho, ferramenta ao ombro, os homens costeiam o rego, deixam a um lado o moinho e penetram no amplo curral da fazenda. À direita estendem-se as senzalas, uns cubículos baixos e apertados. À esquerda, a ceva espaçosa empesta o ar com o odor infecto das dejecções e fermentações pútridas. Seguidamente, encontram-se o paiol e a casa de engenho onde funcionam máquinas primitivas. Tudo toscamente construído. Em frente à porteira ergue-se a casa da fazenda, assobradada e de larga fachada com varanda de balaústres, como as construções congêneres. Debruçado sobre o peitoril da varanda, o fazendeiro aguarda o regresso dos trabalhadores, para as costumadas demonstrações de respeito, humilhação imposta aos cativos. Como chapéu na mão esquerda e a direita erguida, a cabeça baixa, desfilam os trabalhadores, pedindo a bênção num murmúrio mal articulado: — "Sôs Cristo ! Sôs Cristo!" Louvado seja Nosso Senhor Jesus Cristo. Assim se ensinava o pobre negro a agradecer a condição de escravo que a chamada civilização cristã lhe impunha.

As distrações do escravo eram as cantigas do eito, as toadas doridas, as saudosas tiranas desferidas ao pé do fogo, junto das senzalas, ou então as borracheiras de cachaça. Pelo São João, havia a única festa da fazenda, com a tradicional fogueira, os foguetes, as bichas chinesas, a ciranda, as sortes e o café com pipocas. Enquanto os brancos, em cima, dançavam o recortado os negros e mestiços, no terreiro, caíam no samba, no cateretê, no batuque.

A fazenda, muito próspera, enriquecera o seu felizardo proprietário, um português de ascendência judaica, antigo comboieiro de africanos cativos. Graças ao negro, pau para toda obra, a agricultura pudera organizar-se no Brasil em escala compensadora, não obstante o meio físico hostil, o clima quente e insalubre e o primitivismo dos instrumentos de trabalho — a foice, o machado, o fogo e a enxada. Sem o concurso do negro nada se fazia. O negro derrubava a mata, lidava na roça, plantava, colhia e moía, cuidava da criação, penava no engenho e servia de besta de carga para o transporte de cousas e pessoas. Se o cavalo e o mulo não existissem, por certo os senhores brancos andariam montados em cima de escravos pretos. A negra ajudava o homem nas suas fainas, gemia como peso dos trabalhos caseiros, era a fêmea da espécie e ainda amamentava e criava os sinhozinhos. Como se recompensava a fortaleza, a docilidade e a submissão do negro, motor de tudo? Com o relho, os castigos corporais, a humilhação e o desprezo.

Para o negro preguiçoso bastava o relho. Para o insubmisso, usava-se a roda de açoutes ou o *campanha*. Em *O Mestiço*, há uma cena de tortura por este último instrumento. A torturada é uma mulata nova, antiga concubina do velho dono da fazenda e que, por morte deste, cai no desfavor do novo amante e senhor, filho do finado.

"Abriram o campanha, muito oxidado já, mas lustroso de sangue espraiado nos semicírculos. Era um instrumento bárbaro, composto de três peças de ferro, pesadas e toscas. Duas chapas laterais, de um decímetro de largura e seis de comprimento, formando, fechado o instrumento, dois círculos, pouco distante, no centro, e divididos em semicírculos, pela terceira peça — uma chapa das mesmas dimensões das outras. Colocavam ora as mãos, ora somente os pés, podendo neste caso o paciente recostar-se ao solo, numa posição incômoda, mal podendo dormir, pois o castigo

era sempre à noite, acordado a cada passo pela pressão dorida do férreo anel. Quando queriam aumentar o suplício, prendiam os quatro membros, a coluna vertebral recurvada em posição dolorosa, mal podendo o mísero recostar a cabeça no braço, sentindo ao menor movimento a carne ferida pelas quinas vivas do feroz instrumento. — Bote-a de pés e mãos, Chico! bradou de cima o senhor. Amanhã veremos o resto".

A mulata vinga-se. Acumpliciada com o protagonista do romance, mestiço livre criado na propriedade, a quem o novo senhor roubara a amada, mulatinha ambiciosa, pega fogo ao depósito em que se achavam os tanques de aguardente junto de barris de pólvora, indo tudo pelos ares. O "Sinhô moço" e a sua amásia, surpreendidos na alcova, cerrada por fora pelos criminosos, morrem ambos no incêndio, que destrói totalmente a casa grande e suas dependências.

— Queimar tanta cachaça, Deus do Céu! exclama Pai José, borracho habitual, lastimando a catástrofe.

A odiosa fazenda, protótipo de fazenda mineira e brasileira de outrora, foi assim castigada pelo romancista humanitarista.

VI

Na ideação de *O Jubileu*, romance de 1920, houve indisfarçável sugestão do *Lourdes* de Zola. Há nele um filete de enredo, e o principal está no painel descritivo da grande feira de vícios e fealdades que era, há trinta anos, a famosa romaria ao Senhor Bom Jesus de Matozinhos de Congonhas do Campo, onde imperavam, sem freio, a jogatina, a extorsão, o latrocínio, a prostituição e um fanatismo religioso em total desacordo com os sãos princípios do cristianismo.

Pequena amostra do quadro:

"Já havia admirado [o pintor Chagas, personagem do livro], no campo da arte, a obra portentosa do Aleijadinho — os profetas, os quadros da Paixão, as pinturas bíblicas, todo o esforço, balbuciante ainda, da estatuária em Minas, ensaiando os primeiros voos e patenteando já fulgurações de gênio. Presenciara também um desenrolar imenso de misérias, como jamais vira em parte alguma, naquela tumultuosa Rua da Poeira, ao lado do Seminário onde se aglomeram mascates, romeiros humildes e a triste humanidade em putrefação, esfacelando-se na lepra, nas úlceras saniosas, titubeando na noite da cegueira com os seus pobres membros amputados. E era tão estranho, tão horroroso aquele espetáculo de irremediável desgraça, que ele não tivera a sensação do enojo em face da

sânie infecta; tão insanável, aquela miséria sem nome, que parecia gritar a face do Santuário a falsidade do milagre, tendo ali campo vasto para se patentear e não se realizando jamais. Vira mercadores por toda parte, na luta infrene que o concorrente estabelece, a se esgrimirem com algarismos, a mentirem desfaçadamente para engodarem os rústicos, os inexperientes que lá iam em busca do prodígio e deparavam apenas a desilusão. Vira ainda um mercado mais baixo, mais abjeto que o primeiro: o lenocínio exposto em todas as ruas, francamente, sem a folha de videira, um desbragamento, tornando-se repelente mesmo aos mais cínicos. Presenciara a ladroeira, desde o gatuno reles, que de um arranco brusco furta um relógio e foge impune, até o bacharel e o ministro religioso a passarem patotas no lansquenete, o jogador da vermelhinha a enlear nas malhas de escandalosa ladroeira ingênuos campônios, deixando-se depenar pela ambição desmedida do ganho que se lhes antolha fácil".

Há no romance uma cena de tenebroso fanatismo por parte da multidão inconsciente, desvairada. No Rio Maranhão, que corta o povoado, aparecera o cadáver de certo bacharel tuberculoso, frequentador das espeluncas em que se jogava. Crime, suicídio, ou morte natural por congestão pulmonar? Não se pôde saber. O cadáver foi sepultado no interior da Igreja de São José, graças à valia e ao dinheiro de pessoas amigas do defunto, junto à confraria que governa a igreja. Mas o vigário local, um frade estrangeiro intransigente, protestou indignado contra o que ele considerava uma profanação, pois chegara ao seu conhecimento que o inumado era um réprobo, um franco-mação. "O templo está interdito por vinte anos, gritou perante o povo, e tem de ser fechado aos fiéis!" Desenterrar o cadáver, disse, e levá-lo para longe era o único meio de levantar a interdição. Uma onda de insânia acometeu a multidão fanática, açulada pelo frade. Romeiros em tumulto, possessos, guiados por membros da confraria, penetraram na igreja e, com a ajuda de alavancas, romperam o assoalho, escavaram a fossa com fúria e arrancaram o féretro em pedaço, arrastado em seguida rua abaixo, com o cadáver a esfacelar-se pela calçada, alvejado a bala por fanáticos ferozes.

Chagas, o artista pintor, perdeu ali o restinho de fé que lhe vinha da infância. De tudo culpava os vendilhões do tempo: "*Vira no lodaçal de vícios, que é o jubileu, a prostituição, a jogatina, a gatunagem, tudo quanto há de baixo e vil, alimentado com amor pelo chefe supremo da romaria, porque esses crimes representavam alguns contos de réis chovendo no Santuário*".

O romancista forçara o quadro e carregara nas tintas? Segundo a ótica realista pessimista, a visão não podia ser outra. Estive em Congonhas do Campo por ocasião da romaria de 1928, e confesso que as cenas por mim presenciadas me nausearam e deprimiram. Só alguns anos mais tarde li *O Jubileu*: o espetáculo da romaria, descrito com minúcias, era o mesmo, exatamente o mesmo a que eu assistira oito anos depois do aparecimento do romance.

Vulcões, publicado após *O Jubileu*, é o menos expressivo dos seus romances. Passa-se também em Minas, entre pessoas de qualificação social - coronéis, bacharéis, comerciantes, politiqueiros, moças educadas em colégios *chics* de freiras e outros exemplares da mesma classe. O argumento gira em torno do casamento errado de duas irmãs que amam o mesmo homem; instaura-se no seio da família um *ménage à trois*, em verdade nada raro na chamada "gente decente", mas aqui o caso caminha para um epílogo sangrento: a esposa traída pela própria irmã, ao ver-se enganada, elimina violentamente a rival.

O desígnio da obra escrita de Fóscolo, em último termo, era o de condenar a organização social vigente. Via remédio na reforma das instituições políticas? Nada disso. Adepto das doutrinas anarquistas de Kropótkin, considerava o Estado como o inimigo que se devia aniquilar, e não, ao contrário dos socialistas e comunistas, como alguma cousa que se precisa conquistar. Poder organizado de coação e repressão, militarista, policial, burocrático, judiciário, fiscal, defensor dos privilégios de classe, o Estado significava para os acratas libertários o principal obstáculo anteposto à valorização normal do indivíduo e à realização da soberania coletiva pelo pacto livre e a associação voluntária.

VII

Avelino Fóscolo estimava o teatro e escreveu algumas peças destinadas a representações de amadores no interior de Minas. Pude ler uma peça dramática de sua lavra, *O Semeador*, impressa em folheto.

Nessa peça em três atos, o acrata Fóscolo parece inclinado para o comunismo, se é que podemos tomar como seus os sentimentos que atribui a Júlio, principal figura do drama. Entenda-se bem: não se trata do comunismo forjado na dialética marxista, mas do comunismo utópico, com base na liberdade e igualdade dos indivíduos e no amor como elo da fraternidade universal.

O caso é que Júlio, filho de abastado fazendeiro, vai bater-se na Europa como voluntário, sob a bandeira dos que na primeira conflagração mundial, apregoavam combater pelos direitos da civilização, da liberdade e da justiça. Feito prisioneiro, é levado para a Rússia. Vê de perto a miséria do proletariado europeu. A do trabalhador rural brasileiro, mais crispante, bem que a conhecia. Regressa amargurado, mas não sem ilusões. Crê em duas forças: a energia e o amor. Está convencido de que é preciso ser forte para jugular o próprio sofrimento e ser bom para minorar a dor alheia. O pai pensa no repouso e quer aproveitar bem os últimos anos que lhe restam de vida. Ao regresso do filho, confia-lhe a direção da fazenda, e é então que o moço põe em prática as suas ideias revolucionárias sobre a condição do trabalhador. A velha fazenda de tradição escravocrata se transformara num pequeno falanstério fourierista.

Começa com uma medida radical: em vez de doze horas de labuta, ninguém trabalhará mais de cinco, graças à utilização dos instrumentos agrícolas. Nos seus homens incute a noção do trabalho, não como uma corveia, mas como necessidade vital. E todos, ainda os mais humildes terão direito ao respeito e à solidariedade que se deve à pessoa humana.

"*A terra*, diz Júlio, com fé de iluminado, *foi dada a todos os seres pela natureza, mãe benéfica e imparcial, como fonte comum imprescindível à existência. Tudo é de todos e os instrumentos de trabalho, as invenções, representando o legado de gerações passadas e anônimas não podem constituir a propriedade exclusiva de alguns homens apenas.*"

A experiência dá bons resultados. Os celeiros regurgitam de cereais, aumentam os rebanhos nos campos, a prosperidade da fazenda faz inveja aos outros proprietários.

O pai, porém, informado do que se passa, acode aflito para restabelecer a velha ordem. O filho resiste: tudo aquilo lhe pertence, como herança materna. A fazenda é sua e dos que nela trabalham. Só resta ao velho senhor amaldiçoar o filho e deixá-lo continuar com a sua experiência.

"*Camaradas*, diz o moço aos trabalhadores que o rodeiam, solidários com a sua obra, *são dois caminhos que se abrem ante vós: um leva ao salariado ou à servidão; o outro conduz ao comunismo, que é a liberdade! Qual dos dois quereis seguir?*"

Todos respondem:

"*Permaneceremos convosco.*"

Laura, moça ilustrada que comunga das ideias de Júlio, exclama:

"*É a primeira célula! Outras surgirão depois, formando de toda a terra uma pátria comum.*"

VIII

Tinha o escritor, de velha data, dois romances inéditos na gaveta: *No Circo*[9] e *Indesejáveis*. Já bem idoso, não obstante o escasso tempo que lhe deixavam as ocupações do seu laboratório químico-farmacêutico, não renunciara inteiramente à atividade literária, continuando a escrever em horas perdidas não abandonava os projetos literários: esboçou um romance de documentação social, latifúndios, em torno duma das grandes misérias da vida agrária interior, e chegou a concluir, pouco antes de morrer, o intitulado *Morro Velho*, sobre a famosa mineração de ouro, onde o romancista trabalhara na adolescência como operário[10].

Serão ainda reimpressos e lidos os romances de Avelino Fóscolo? Adivinhe-o quem puder. Merecem, entretanto, ser lembrados, especialmente, repito, pelos testemunhos que encerram acerca de aspectos da vida social em Minas, no trânsito do passado para o presente século. E ao relê-los, faz pouco tempo, pensei comigo nos bons argumentos que um cineasta de talento poderia extrair de *O Caboclo, O Mestiço, A Capital* e *O Jubileu*.

---

[10]. Avelino Fóscolo facultou-me a leitura desse romance, nos originais. Pareceu-me inferior a *O Caboclo, O Mestiço, A Capital e O Jubileu*.

[11]. Em 1941, os originais de Morro Velho foram entregues, por indicação minha, à Livraria Editora Paulo Bluhm, de Belo Horizonte, a fim de ser examinada a possibilidade de sua publicação. O livro apresentava como desumanos, realisticamente, os processos de exploração dos humildes trabalhadores da mineração de Morro Velho, pertencente à poderosa companhia inglesa. Era durante a segunda guerra mundial, o Brasil achava-se em vésperas de declarar guerra à Alemanha e, assim, o consultor-literário daquela casa editora, alemã, julgou prudente desaconselhar a impressão duma obra que talvez desagradasse aos nossos futuros aliados britânicos.

NOTAS SUBSIDIÁRIAS

SOBRE O ROMANCE "A MULHER"

Para custear a publicação do romance *A Mulher*, que haviam escrito em colaboração, recorreram os autores à subscrição pública por intermédio do periódico sabarense *O Contemporâneo*. Lia-se em sua edição de 3 de agosto de 1890, sob a epígrafe *A Mulher — Romance naturalista de A. Fóscolo e Luís Cassiano Júnior*:

"Continua aberta no escritório desta folha a subscrição para a publicação deste importante romance dos nossos colaboradores A. Fóscolo e Luís Cassiano Júnior.

Já subscreveram os seguintes cavalheiros, aos quais ficamos muito penhorados Francisco da Silva Lobo, 10 exemplares; Bento Epaminondas, 8 exemplares: Cândido de Araújo, 5 exemplares; João Trindade, 1 exemplar; Daniel R. Machado, 1 exemplar; Antônio S. Melo, 1 exemplar.

Deixamos de publicar ainda os nomes de alguns cavalheiros que nos prometeram assinar, mas que ainda não nos entregaram as importâncias das assinaturas. Continua aberta a subscrição."

A mesma folha noticiava, a 24 do dito mês:

"Parte brevemente para o Rio de Janeiro, a fim de contratar a publicação d'*A Mulher*, romance naturalista escrito de colaboração com o Luís Cassiano Júnior, o amável A. Fóscolo. Esse romance que saia!"

E a 14 do mês seguinte:

"*A Mulher* — Acaba de ser contratada com os nossos correspondentes no Rio de Janeiro, os Srs. Brandão e Moreira Maximino, a publicação deste romance realista dos nossos companheiros A. Fóscolo e Luís Cassiano Júnior."

Dava em seguida os nomes dos novos subscritores do romance, anunciado para o mês de outubro. Eram os seguintes: Dr. Antônio V. Pinto, 20 volumes; Rodolfo Abreu, 10; Alfredo Ribeiro, 5; Af. F. Alves Peixoto, 5; Modestino Rocha, 3; Afonso R. Braga, Maurício Simões, Belmiro Campos, Randolfo Simões, José F. de Oliveira, Jorge P. Mascarenhas, José dos S. Carvalho, Quintino Moreira, Olímpio Reis, José Guilherme, José Antônio, Antônio C. Mascarenhas, Francisco A. Guimarães, Antônio Clímaco, Pacífico C. de Sá, Paulo C. dos Santos, Antônio A. Mascarenhas, Antônio Sabará, Romero de Carvalho, Antônio V. da Rocha, Lavínia Bacelete, Américo P. Silva, Américo Passos e Antônio Papaísca, 1 cada um.

ANUNCIADO NOVO LIVRO DE FÓSCOLO

O Contemporâneo, de 7 de maio de 1893, noticiava assim a passagem de A. Fóscolo por Sabará, com destino ao Rio de Janeiro:

"Já é clássico nos anais do jornalismo o "está na cidade", ou então o "acha-se entre nós", bem sabemos; mas, embora clássico, sediço mesmo, cacoete até, que é que se há de dizer quando cá pela terra aparece um amigo e companheiro inseparável de lides literárias, como A. Fóscolo?

Não há fugir da chapa - motivo por que vemo-nos obrigados a dizer que está na cidade o Fóscolo, o caro colega d'*A Vida*, aquele ilustrado rapaz, muito talentoso e excêntrico, que sabe escrever magníficos contos e adoráveis fantasias,

O romancista d'*A Mulher* seguirá por estes dias para o Rio a fim de tratar da publicação do seu novo livro — *Cenas da Vida*, que esperamos, será condignamente recebido da crítica indígena, tal a aceitação que hão tido os seus mimosos contos que tão hospitaleiro acolhimento têm encontrado na *Folha Azul*, *O Álbum*, *A Capital*, etc., prescindindo de falar de muitos e conceituados órgãos da imprensa mineira.

É sempre com imenso prazer que noticiamos o aparecimento de um livro ou de uma produção inédita de qualquer dos representantes daquele saudoso meu literário criado em Sabará por Artur Lobo, A. Fóscolo e Luis Cassiano Júnior, três moços incansáveis utopistas, que idolatram a arte com uma paixão arraigada, sincera e profunda.

Que siga para o Rio o Fóscolo e seja feliz de viagem, nas oxalá não seja vítima de um daqueles incômodos *poissons d'avril!*..."

O romance *Cenas da Vida*, anunciado pela folha sabarense, não chegou a publicar-se. Não seria o mesmo que, já com o título mudado para *No Circo*, Fóscolo me deu a ler, ainda nos originais, em 1940? Suponho que sim.

Também não se publicou a segunda edição de *A Mulher*, que Fóscolo tentara negociar com Magalhães & Cia., livreiros-editores no Rio de Janeiro, conforme noticiava a mencionada folha, em data de 25 de junho de 1893.

SOBRE "O CABOCLO"

Só sete anos depois, em 1902, apareceria o primeiro romance unicamente de Fóscolo, *O Caboclo*, impresso em Belo Horizonte, na tipografia oficial do Estado.

Recolhemos aqui a nota crítica, firmada por J. V. S., inserta numa revista de São Paulo, dirigida pelo escritor mineiro M. Viotti, *O Arquivo Ilustrado*, ano IV, n° XXXII, 1902, p. 247. É a seguinte:

"Encontrei-me com o nome de Avelino Fóscolo não sei onde; lembro-me de o ter visto em qualquer jornal ou revista, mas ainda não lera cousa alguma sua. E agora gostei muito desse *Caboclo*, e foi com muito prazer que o li, e foram rápidas as horas em que me embrenhei por aquelas matas, muito vívidas e muito cheirosas, que o romancista mineiro descreve com sua forte trama de realismo cerzida de poesia agreste.

Há no *Caboclo* páginas de grande valor literário, como a em que é descrita a queda involuntária de Lená, com a resistência física reduzida e presa pelo cheiro entontecedor da mata. É perfeitamente conduzido todo o capítulo e quando vemos o protagonista do romance, desvairado, beijar a nuca da moça, como que o estilo uníssono e vibrante do escritor nos faz cúmplice também daquele atentado, criando a sombra resinosa que atapeta a grota e o perfume sensual destilado da terra que lá fora o sol morde...

É o trecho capital do livro, esse a que me refiro, mas há também muitos outros de vária e forte beleza, que um crítico de estofa poderia esmiuçar nestas colunas, se hoje, por uma paradoxal bondade do amigo Viotti, o bastão da crítica não fosse parar às mãos de um mofino fantasista.

O suicídio do médico e, antes, a festa na roça em que fica noivo, são boas páginas. É perfeita de naturalidade, também, a descrição da chegada à fazenda da notícia do suicídio, a maneira por que cada um dos personagens do romance recebe a imprevista nova. É bem notada e tem-se a viva impressão daquele dia, como se vê a escuridão do quarto onde Lená soluça a sua desventura, como que se ouvem os passos da tia solteirona que se empenha por esconder à gente estranha a desgraça da família, e parece-nos ouvir ao longe, ferindo a luz, cortando o ar morno de domingo de agosto o cantarolar do Caboclo, feliz e alegre, "como um canto de bárbaro em país conquistado".

Há uma figura secundária na obra, que entretanto ressalta nas últimas páginas: a da mãe Joana; a busca através da mata do seu filho martirizado, guiada apenas pelo latido longínquo de um cão, é comovente, e depois é trágico o contraste do cenário da grota onde Lená se perdera e agora o Caboclo agonizava, a diferença das duas cenas ali passadas, no princípio e no fim do romance, uma movida pelo amor e outra pelo ódio, ambas as paixões elevadas ao paroxismo da sua potência, ambas atingindo ao crime e ao desvairo...

Ali na grota esconsa, guardada pela mata cheirosa, caíra um dia, violentado e estremecendo de horror e de gozo, o corpo primaveril da rapariga de mais enfeite daquelas terras; ali nos lábios de Lená, trêmulos de medo, soara barbarescamente o beijo frenético do macho, e as flores brutas do mato destilavam para dentro da caverna o veneno de seu perfume... Agora, preso, mutilado, o herói bárbaro pena; aperta-lhe o coração a lembrança viva do crime, e sente fugir-lhe da escuridão da noite a vida; enquanto lhe fumegam as narinas, aspirando o perfume sensual da mata adormecida.

O livro lê-se depressa e seduz; é grande o poder descritivo do autor, há muita verdade nas tintas com que pinta as suas paisagens, há muita sobriedade nos efeitos românticos do entrecho, cuja ação é conduzida com feliz naturalidade. Falta ao estilo, talvez, um pouco de poesia ou de sentimento poético, mas sobra a força, a energia da frase, a beleza máscula da descrição.

Numa terra em que os considerados romancistas são mais fantasistas do que qualquer outra cousa, é de notar auspiciosamente o aparecimento de um romancista que faça romances. Esse que surge em Minas vem bem aparelhado para, na marcha gloriosa dos ideais, tomar brevemente um lugar ao lado dos nossos mais adiantados soldados da ficção: Aluísio, Júlia Lopes, Inglês de Sousa ou esse moço Graça Aranha, que vem de revolucionar o Brasil literário com a sua *Canaã*. — J. V. S."

PERFIL DE FÓSCOLO

De Ernesto Cerqueira (1877-1947), poeta e jornalista, figura muito querida nas rodas literárias de Belo Horizonte das duas primeiras décadas deste século, e que exerceu depois o jornalismo no Rio de Janeiro, como redator do *Jornal do Brasil*, até o seu falecimento, é a página por ele publicada em *A Ideia*, folha literária de Ouro Preto, depois reproduzida em *O Contemporâneo*, de 14 de setembro de 1902, donde a retiramos para dá-la aqui a seguir:

Por uma noite de Carnaval, no *brouhaha* da Rua da Bahia, passeávamos Artur Lobo, o desventurado artista dos *Rosaid*, João Lúcio, o magoado poeta das *Lápides*, e eu, quando se nos pôs em frente um rapaz moreno, simpático, olhos vivos e penetrantes.

Este é o Fóscolo — apresentou-mo o Artur, e continuamos, já agora os quatro, em amistosa palestra.

Eu já conhecia o autor do *Caboclo* através do seu jornal, dos seus artigos políticos, dos seus belos folhetins. Tive então oportunidade de com ele trocar ideias, de conhecer-lhe a verve, o espírito fino de análise, que se lhe manifesta em tudo. Quando o lia, figurava-se-me vê-lo numa pequena aldeia tranquila, aviando drogas numa farmácia para organismos combalidos, pontificando ideias no *Industrial* e preparando, no laboratório da arte, os bem acabados trabalhos literários, que o têm sagrado escritor entre os intelectuais da nossa terra.

Das diversas obras que há escrito, somente enfeixou em volume *O Caboclo,* de recente sucesso de livraria, e que contém páginas admiráveis, principalmente na descritiva. *A Capital, No Circo, O Mestiço* ainda aguardam melhores dias para figurarem nas vitrinas das livrarias, e porque a precariedade Néssus, sempre colada ao literato indígena, impede-lhe maiores surtos para a consagração do seu nome. Entretanto, aos leitores do *Industrial* não são estranhas as belezas que esses livros encerram; o rodapé desse excelente hebdomadário já tem estampado muitas dessas formosas páginas, em que vibra o talento brilhante do escritor mineiro.

A crítica recebeu bem *O Caboclo*, salientando-lhe as qualidades, apontando-lhe os defeitos. Não cabe, pois, à minha incompetência analisar o livro; nem o comportariam os limites desta ligeira notícia biográfica.

Devo, não obstante, pôr em relevo o que mais atraiu minha atenção na leitura do *Caboclo*. Refiro-me ao espírito de análise, à finura de observação que caracterizam a individualidade artística de Fóscolo, manifestando-se em belíssimas páginas de colorido vivaz, flagrantes de naturalidade pondo-nos diante da retina trechos sertanejos, paisagens que nos são familiares, ou então cenas da vida rústica, tão vivas, tão *d'après nature,* que nos quedamos a contemplá-las, numa impressão forte da realidade dos personagens do romance, vivendo nós a mesma vida sua que o escritor vai desenhando. Como obra de psicologia, se não é perfeita, completa, se não tem as sutilezas de um Bourget, nem a agudeza do estilete de um Eça, é, em todo o caso, digna de apreço, revelando, ainda por esta face, o espírito de análise que já apontei como uma das qualidades características do autor.

Fóscolo é ainda moço, está longe de dobrar o cabo-das-tormentas dos 40; com mais estudo, com maior cultivo da língua, de modo a poder-se libertar de umas tantas faltas, veniais é certo, que nesta parte a pressa de escrever deixou escapar, em um meio mais convidativo ao aperfeiçoamento em que se lhe estimule o talento, será, em futuro não remoto, um dos escritores mais apreciados de Minas, tal a sua fecunda imaginação, o seu amor ao trabalho e as suas qualidades de artista.

Publicando-lhe o retrato, a que servem de moldura estas pobres linhas, *A Ideia* rende homenagem a um dos promissores talentos mineiros, mostrando, mais uma vez, quanto lhe merecem aqueles, que trabalham pelo engrandecimento da Arte na terra mineira, de modo a readquirir-lhe o lugar proeminente que ela já representou na República das letras, em épocas que vão longe, infelizmente."

Este livro foi composto com a tipografia Times New Roman
e impresso pela Meta Brasil.